還暦からの底力

歴史・人・旅に学ぶ生き方

出口治明

JN031114

講談社現代新書

2568

はじめに

紀元前221年に戦国の六雄を滅ぼし、はじめて中国全土を統一した秦の始皇帝は、歴史上、人類が生んだ政治家のなかでもっとも有能な一人だと思います。始皇帝は2000年以上にも及ぶ、「文書行政によるエリートが支配する中央集権国家」という中国のグランドデザインを確立したのです。

その始皇帝が最後に執着したのが不老不死でした。単なる伝承ではなく、実際に各地へ不老不死の薬を探すよう命令を出していたことは、研究によって明らかにされています。

先進国のなかで世界一の平均寿命を誇る日本は、始皇帝が夢に描いていた理想に近い世界を実現したといえます。しかも、人口トップ10の国々のなかで平均寿命トップ10に入っている国は日本のほかにはありません。

ところがわが国の高齢化社会についてメディアや巷で見かける言説は、公的年金保険が崩壊して世の中には貧困老人があふれかえる、あるいは人々の寿命が延びた分、寝たきり老人が増加して周囲の負担がどんどん重くなる、といった将来の不安をあおるものばかりです。高齢者や高齢化社会の将来はお先真っ暗というわけです。

しかし、本当にそうでしょうか。人間は年を取ったら活躍とは縁遠くなり、貯蓄や年金を食いつぶしながら、肩身を狭くして生きていくしかないのでしょうか。

そんなはずがありません。

古今東西広く世界を見渡せば、還暦を超えてもなおパワフルに活躍している人はたくさんいます。

たとえば4世紀の中国の僧、法顕は仏教を深く学ぶために399年に長安（現在の西安）を旅立ったとき、すでに60歳を超えていました。砂漠や高地を越える困難な長旅の後、インドで学び、帰国したときには70歳を超えていました。法顕の偉業は、あとで詳しく述べるつもりです。

現代においては、マレーシアのマハティール前首相が好例です。

マハティール氏が最初にマレーシアの首相に就任したのは１９８１年のことです。このとき、日本や韓国などに学ぶ「ルック・イースト政策」を提唱したことはよく知られています。マハティール氏は一度、２００３年に首相を退任しますが、２０１８年に野党を率いて総選挙に勝利しました。政権交代を実現して再び首相に返り咲いたのです。

このときのマハティール氏の年齢は92歳です。ずっと与党でトップの地位にあったわけではなく、90歳を超えてから、なお野党の立場から権力闘争に挑んで勝利を収めたのですからすさまじい気力です。

マレーシアのマハティール前首相

実はマハティール前首相が２０１８年にＡＰＵ（立命館アジア太平洋大学）に来られたとき、僕は一緒に食事をしたことがあります。僕より年齢が20歳以上も上のマハティール首相ですが、70歳の僕と食べる量もスピードもちっとも変わりませんでした。

行動はかくしゃくとしていて、立ったままで20分ほど立派なスピーチをされたのも印象的でした。秘書の方に話を聞くとマレーシアの国会では平気で1時間くらい、立ちっぱなしで演説していたそうです。

このように歴史をひも解けば、還暦後に底力を発揮した人物の例は枚挙にいとまがありません。

では、どうすれば皆さんが「還暦からの底力」を発揮できるのか。この問いに対する答えを明らかにしようとするのが本書の目的です。

僕は還暦で、インターネットを主な販売チャネルとするライフネット生命を開業し、古希を迎えた2018年にAPUの学長に就任しました。

友人には「還暦ベンチャー」「古希学長」などとからかわれていますが、僕自身は自分が何かの決断をする際に年齢を意識したことは一度もありません。

還暦からの底力を発揮するうえで重要なポイントは、色眼鏡（その人の価値観や人生観）をできるだけ外して、フラットに周囲の物事を見ることです。「数字・ファクト・ロジック」で、エピソードではなくエビデンス（証拠）で世界を見ることです。そうすれば根拠のない不安で心配することはなくなりますし、根拠が明らかな問題は原因が明確なので、打つべき手を打てるようになります。根拠のない常識や不毛な精神論に縛られて「もう年だから」と年齢を隠れ蓑にして自分にブレーキをかけることもなくなるでしょう。言い方を変えれば、ものごとをできるだけフラットに、「数字・ファクト・ロジック」でとらえ、「年齢フリー」で考えることが還暦からの底力を発揮するうえで重要なのです。

もう一つ重要なのが、健康寿命を延ばすことです。長生きはできても元気がなく、寝たきりの生活になっては始皇帝もうれしくはないでしょう。

これらを実際に行うには、具体的にどうすればいいのか。みんなが齢を重ねても生き生きと暮らすには、個人の生活や考え方はもちろん、社会的な制度や慣習のどこに問題があり、どこをどう変えていけばいいのか、皆さんといっしょに考えて本書で明らかにしていきましょう。最後になりましたが、本書が世に出たのは講談社の岡部ひとみさんとライターの宮内健さんのおかげです。本当にありがとうございました。

皆さんの忌憚のないご意見をお待ちしています。(宛先メールアドレス hal.deguchi.d@gmail.com)

２０２０年３月

ＡＰＵ学長　出口治明

目次

第二章 老後の孤独と家族とお金

第三章　自分への投資と、学び続けるということ

第四章　世界の見方を歴史に学ぶ

第五章　持続可能性の高い社会を子供たちに残すために

第一章　社会とどう向き合うか

「何歳まで働くのか」を考えても意味がない

年齢に意味はない。僕は基本的にそう考えています。

2017年に日本老年学会・日本老年医学会は連名で「高齢者の定義を75歳以上にしましょう」と提言しました。

現在、日本をはじめ多くの国では、高齢者は65歳以上と定義されています。同学会の報告書によると、これは1965年に（半世紀以上も前の話です！）、世界保健機関（WHO）が65歳以上の人口が全人口の7％を超えると高齢化社会と呼ぶとの見解を発表したことがきっかけでしたが、この定義に医学的・生物学的な根拠はありません。当時の欧米諸国の平均寿命は男性が66歳前後、女性が72歳前後、日本は男性が63歳前後、女性が67歳前後だったことからそのまま受容されたようです。

しかし、当時の65歳と現在の65歳では体力や若々しさが大きく異なると、多くの人が感じているのではないでしょうか。実際、同学会が高齢者の心身の老化現象の出現に関するさまざまなデータを分析したところ、現在の高齢者は10～20年前に比べ老化現象の出現が5～10年遅延する「若返り」現象がみられました。この知見に基づき、「75歳以上」が高齢者の新たな定義として提案されたのです。

要するに、いまの75歳が昔の65歳と相撲を取っても負けないというわけです。このような医学的、客観的なデータが出されているのなら、素直に受け入れたほうがいいでしょう。医学の進歩や栄養状態の改善などにより人間は昔よりも元気になっており、75歳以上を高齢者と定義しても何の不都合もないでしょう。そうであれば年金の受給開始年齢もその基準を65歳から75歳に延ばしても何の問題もないでしょう。65歳高齢者説は前述した通り、半世紀以上も昔のデータに基づいたもの。いつまで、そんな古いデータにしがみつく必要があるというのでしょう。

では、何歳まで働くべきなのか。これはよくある問いかけです。しかし人間は動物ですから、「何歳まで働く」とあらかじめ決めておくのは全くもってナンセンスです。動物と同じように、朝起きて元気だったらそのまま仕事に行けばいいし、しんどくなったら仕事を辞めればいいだけの話です。

僕もよく「いつまで働くのですか」と質問されることがありますが、そんなことは考えても仕方がないと思っています。今日も朝起きて元気だから仕事をしているだけの話で、しんどいと感じるようになったら、そのときに引退すればいいだけの話ではありませんか。年齢に意味がないというのは、そういうことです。

高齢者が生かされている歴史的、生物学的意味

現在の科学の進歩は凄まじく、いろいろなことがわかってきています。

ジョージア（グルジア）のドマニシで発見された180万年も前の原人の遺骨には、歯が全くありませんでした。動物が歯を失ったら食べることができず必然的に死を迎えることになりますが、この原人は歯をなくした後もしばらく生きていたことがわかっています。ということは、誰かが食物をすりつぶして食べさせていたとしか考えられません。180万年も前に介護が行われていたのです。

なぜ現代よりはるかに生存環境の厳しい時代に、高齢者を介護していたのでしょうか。いま最も的を射ていると思われる仮説は、高齢者はいろいろな知識や経験を持っているので、介護するコストに比べたとき、群れ全体の生き残りに貢献するベネフィットのほうが高かったので介護を行っていたという解釈です。

ホモ・サピエンスの歴史のなかで、高齢者はその知識や経験が群れ全体の生存に役立つだけではなく、たとえばみんなが食べ物の狩りや採集に出払っている間に赤ちゃんの面倒を見るとか、留守番をするなどして、次世代の育成に役立ってきました。

こうした歴史的、生物学的な事実を踏まえると、高齢者がなぜ生きているのかといえば、次の世代のためというのがその答えになるでしょう。『ゾウの時間 ネズミの時間』で

著名な生物学者の本川達雄氏は、生物にとって生殖活動で子孫を残すことが極めて大きな意味を持つと指摘したうえで、生物学的な観点から次のように提言しています。

老後においても、私は生殖活動に意味をみつけようと思います。とはいえ、なまなましい生殖活動ができなくなるのが老いというものです。そこで、直接的な生殖活動ができなくても、次世代のために働くこと――これを広い意味での生殖活動と考え、これに老後の意味をみつけたいのです。

具体的に言いましょう。われわれ老人は子育てを支援し、若者が子供を作りたくなる環境を整備する。身体も脳も日々よく使い、自立した生活をして老化を遅らせ、必要になったら互いに介護につとめ、医療費・介護費を少なくし、そうすることにより、できるだけ次世代の足を引っ張らないようにする。

（本川達雄『生物学的文明論』新潮新書）

本川氏が提言するように、高齢者は「次世代のために働くこと」に意味があり、次世代を健全に育成するために生かされていると考えるべきなのです。

そう考えると「保育園が近くにできるとうるさくて昼寝ができない」などと反対する高

齢者は、自分が何のために生かされているかという本分をわきまえない人というほかありません。行政はそういう人のわがままを受け入れるのではなく、逆に「子供のいない山奥にでも行って一人で生活してください」と説得すべきです。

洋の東西を問わず、船が沈没する際に脱出する順番は子供、女性、男性、そして高齢者です。なぜなら、その順番にしないと群れが死滅するからです。高齢者より、将来を担う若者たちの優先順位を高くしなければいけないということは、昔からみんな、わかっていたのです。

「敬老の日」を廃止せよ

僕は、極論ですが「敬老の日」などやめてしまえと思っています。「敬老」という言葉があること自体が「若者が高齢者の面倒をみるのは当たり前だ」という歪んだ考え方につながり、社会を歪めるからです。僕はこの考え方を「ヤング・サポーティング・オールド」と呼んでいます。

自然界をみたときに、若い個体が老いた個体の面倒をみている動物はいるでしょうか。そんな動物はいません。ということは、それは自然界の摂理ではないのです。ヤング・サポーティング・オールドという社会の在り方が成立するのは高度経済成長期の日本のように若者の人口が圧倒的に多い社会の特性に過ぎず、人類普遍の真理ではありません。

少子高齢化が先行したヨーロッパでは、もう30年以上も前からヤング・サポーティング・オールドから「オール・サポーティング・オール」に変更しています。

つまり、年齢に関係なく社会を構成しているみんなが応分の負担をして、シングルマザーをはじめ、本当に困っている人に給付を集中しようという考え方に変わっているのです。

そのためには税制や社会保障の在り方を変える必要があります。若者が高齢者を支えるのなら、働いている若者に所得税を課し、住民票で年齢をチェックして高齢者に優待パスを配ればそれで事足ります。昔は若者10人以上で1人の高齢者を支えていたのでそれでよかったのですが、今は騎馬戦（3人で1人）がこわれはじめて肩車（1人で1人）に向かいつつあります。これでは、ヤング・サポーティング・オールドでやっていけるはずがありません。

働いている人も働いていない人も、みんなで社会を支えるのであれば、消費税にシフトするしかありません。一方、本当に困っている人に給付を集中するためには、マイナンバーを整備して所得や資産を把握する必要が生じます。

つまり、少子高齢化社会においてはヤング・サポーティング・オールドからオール・サポーティング・オールへの発想の転換が必要であり、所得税と住民票で回っていた社会から、消費税とマイナンバーで回す社会へのパラダイムシフトを起こさなければならないのです。

したがって、次世代を育てる役割を担う高齢者としては、積極的に消費増税を受け入れて若者の負担を減らすというのがごくまっとうな考え方です。税金が好きな人はいないでしょうが、高齢者が生きている意味に立ち返れば自ずとそうなるはずです。

ところがこのようなまっとうな考え方が、日本ではなかなか受け入れられません。その原因の一つとなっているのは日本語でしか論文を書かず、間違ったことを書いても日本語の壁に助けられ、世界で恥をかかずに済んでいる一部の学者の存在です。

「年金が破綻する」といって騒いでいる学者はまさにそれ。かつて若者10人で高齢者1人の面倒をみていた社会から若者1人で高齢者1人を支える肩車型の社会になるのだから、年金制度は維持できないというのがその主張です。これは人口構成の変化を述べているだけの話で、世界中でこんなことを論じている学者はいません。年金は政府がみんなからお金を集めて必要な人に再配分している仕組みなので、政府が潰れなければ年金制度も破綻することはないからです。将来の年金額は、その社会が成長するかどうかにかかっていることもまた世界の学者の常識です。成長すればその分たくさんお金を集められるのでたくさん再配分できるというシンプルな理屈です。

また、「消費税は弱い者いじめ」という学者もおかしいと思います。これは所得税の累進性に比べ、消費税はフラットな税率なので低所得者の負担が相対的に重くなり、弱い者いじめになるという議論です。若者がたくさんいる社会なら所得税だけでもいいかもしれませんが、肩車型の社会で、1人が負担（所得税）するのか2人で分担（消費税）するのかどちらがフェアかは明白でしょう。木を見て森を見ない類いの議論の典型です。

さらにいえば、たとえば僕はいつもAPUの食堂で一食500円前後のランチを学生といっしょに食べていますが、東京に出てデパートの食堂で裕福そうな人たちが食べているランチを見ると、だいたいが2000円から3000円しています。そうすると2000円のランチならAPUの学生の4倍、3000円なら6倍の金額の消費税を支払っている計算になります。お金持ちは、たくさん負担しているのです。

また、世界にはアメリカ、ヨーロッパ、日本という3つの先進地域があります。このなかでどこが一番バリアフリーで弱者に優しい社会でしょうか。ほとんどの人はヨーロッパだと答えるでしょう。そのヨーロッパの社会は消費税で組み立てられています。この事実からしても、決して消費税が弱者いじめではないことがよくわかります。

大事なのは少しでも早くヤング・サポーティング・オールドの発想を脱し、オール・サポーティング・オールの考えで、年齢に関係なく本当に困っている人たちへ給付を集中するように努めることです。単に高齢者だからといって敬老パスを配るなどとんでもありません。

巨大メディアである読売新聞グループでは、1926年生まれの渡辺恒雄さんが代表取締役主筆を務めています。では、90歳を超える高齢者だからといって渡辺さんに敬老パスを配るべきでしょうか。大企業トップで十分な収入を得ている人にそんな必要はありません。むしろ配るべきはシングルマザーなど困っている人たちです。

逆に、渡辺さんのような人から年金保険料を徴収しても不都合は何もありません。働いて一定以上の収入を得ている限りは何歳であっても年金保険料を支払ってもらい、働くのをやめたら年金を支給すればいいのです。公的年金は「保険」なのですから。

このように見ていくと、年齢を基準に年金保険料の徴収や給付を決める考え方はおかしいことがわかります。働いている間は保険料を納め、働けなくなったら年金給付を受けるという姿が究極の理想でしょう。もちろん、個人差がありますので、年金給付については前述したように75歳ぐらいを基準年齢として、60歳を超えれば本人の申告によって受給できるような制度設計が望まれます。ヤング・サポーティング・オールドという過去の世界の遺物の一つである敬老の日は廃止して「年齢フリー社会」への移行を進めなければなりません。

「敬老の日」を本当に活かしたいのであれば、その趣旨を「多年にわたり社会につくしてきた老人を敬愛し、長寿を祝う」から、「高齢者が次の世代を健全に育成するために、何ができるのかを考える」に変更すべきだと思います。

「年齢フリー」の世の中に

日本で金融資産を持っている人の多くは高齢者です。裕福な人たちに年金が入って、シングルマザーなど、経済的に本当に困っている人たちにお金が配分されないのは、社会がまちがっています。そうした意味でも早く年齢フリーの社会にしていく必要があります。

年齢フリーで働く素晴らしい見本だと思うのが、２０１８年に６勝４敗でカムバック賞を受賞したプロ野球の松坂大輔選手です。

甲子園で春夏連覇し、日本のプロ野球でルーキーイヤーから最多勝を３年連続で獲得し、米大リーグでも活躍した松坂選手ほど、華麗な経歴を持っている現役選手は他にはいません。

しかしケガで長期にわたって苦しんだ松坂選手は２０１８年に中日ドラゴンズへ入団す

るとき、テストを受け1500万円の年俸（推定）で入団しました。「俺は大リーグでブイブイいわせていたんだぞ」などと、過去の栄光にものをいわせるようなことは一切していません。

そもそも働くということは、昔、何をやっていたのか、何ができたのかは関係がなく、現在の能力と意欲、体力に応じてそれにふさわしい仕事をするというのが世界の常識です。日本もそういう当たり前の世界を目指すべきです。

高齢者のなかには「昔は大会社の役員だった」などと過去の栄光にすがったり、「昔の部下に使われたくない」と不満を漏らしたりする人がいますが、こうした歪んだ敬老精神はなくしていかなければなりません。

以前、平均年齢が70代後半というグループで講演をしたときのこと。名刺交換をした方のなかで、3人の方が「元○○株式会社常務取締役」などと過去の経歴を書いておられて、何か悲しい気持ちになりました。過去の経歴を現在の名刺に入れて一体何になるのでしょうか。

ハローワークに行って「自分は昔、大企業の役員だったので、それにふさわしい仕事はありませんか」という人が多々いると聞きます。こんなおかしな話が世界中どこにあるというのでしょうか。今何ができるか以外に、仕事なんて見つかるはずがありません。こういう歪んだ年功序列や敬老精神の蔓延が日本を蝕む病巣の一つです。大した相談もされないのに相談役などと称して会社に居座るような人たちも、この好例です。

僕はライフネット生命の会長を２０１７年に退任しました。還暦で開業し、上場。社長、会長を10年務めて、古希になったタイミングで売上が１００億円を超え、営業キャッシュフローも約40億円となったので、経営的にはもうそれほど心配はないだろう。そして今社長を務めている森亮介君は当時33歳の若さでしたが、彼が一所懸命仕事をしているのを見て彼に代表取締役を譲ったほうがいいと考えたのです。

辞意を会社に伝えると、最初、指名・報酬委員会からは「最高顧問でしばらく残ってください」といわれました。しかし何が最高なのか、わけがわかりません。だから僕は会社と業務委託契約を結び、会社のＰＲと後任の育成を手伝うという契約を交わして、仕事をするようにしました。

若い社員からは「代表取締役会長から一業者になったんですね」といわれましたが、僕は「そうやで」と。そのほうが、はるかにわかりやすい。取締役を辞めてよくわからない肩書をつけるのではなく、どういう役割を果たすのか及びそれに対する報酬を明確にして、一業者になって仕事をするほうがずっとフェアでしょう。

わが国の敬老精神はもともと朱子学（儒教）に淵源を持つものですが、さらに深掘りすれば、敬老精神は高度成長期・人口増大社会特有の考え方で、基本的に人間の動物としての本性に反しています。つまり、「高齢者は若い世代のために生きている」というごく当たり前の考え方とは真逆なのです。

定年を即刻廃止し、健康寿命を延ばす

進化生物学者のリチャード・ドーキンス氏が「生物の個体は遺伝子の乗り物」と述べているように、私たち動物は次の世代を残したらあとはもう余生です。僕が日本生命のロンドン現地法人で働いていた頃、ロンドンの人たちは子供が巣立ったらみんな生命保険をやめて、そのお金をパブで使ったりしていました。

これはとても健全な精神だと思います。子供がまだ独り立ちしていないときは親に育てる責任がありますから、万が一のことがあったり自分が働けなくなったりしても子供を養育できるよう保険をかける。でも子供が巣立って親としての責任を果たしたらすぐに保険を解約し、自分の好きなようにお金を使う。

日本では高齢者の方から「どんな生命保険に入ったらいいですか」と質問されることがよくありますが、僕の答えは「基本的には不要」です。子供が巣立ったら、もう生命保険

料を支払う必要はありません。

メディアには「老後までに○千万円残しなさい」と不安をあおる記事がたくさん出ていますから、心配になるのかもしれません。しかし現代の日本では、働けばお金は入ってくるので、生活はできると思います。なぜなら、現在の日本は団塊世代600万人（1947～49年生まれ）が退場しつつある一方で、新社会人は年100万人弱。誰が考えても構造的な労働力不足社会です。年齢に係わりなく意欲・体力・能力が普通にあれば誰でも働けます。本当は老後の資金などそれほど必要ないのです。いざというときには公的年金保険もあります。

老後の資金を貯めようという発想は、定年という戦後のガラパゴス的な労働慣行に原因があります。日本の一括採用、終身雇用、年功序列、定年というワンセットの労働慣行は、戦後の高度成長で人口が急増した社会だからこそ成立した独特のものです。

世界に目を向けるとアメリカや連合王国（イギリス）をはじめ、ほとんどの国では定年がありません。なぜなら人間が大人になるということは、自分の食い扶持は自分で得るということです。だから人間は一生働くのが自然の姿であり、実は働き続けることによってのみ健康寿命も延びるのです。

以前、僕が50人ほどの医師に「健康寿命を延ばすにはどうすればいいですか」と聞いて回ったところ、一人の例外もなく皆さんが「働くことが一番」と話していました。健康寿命を延ばすのにもっともいい方法は、働くことなのです。

そうであるならば、日本がやるべき政策は定年を即刻廃止することです。定年の廃止には一石五鳥のメリットがあります。

まず、健康寿命が延びて介護が減ります。因みに寝たきり老人がいるのは日本だけだそうです。中央公論新社から『欧米に寝たきり老人はいない』という本が出ています。

第2に、医療・年金財政はもらうほうから支払うほうにシフトするのでダブルで好転します。

第3に、年功序列がなくなり、業績序列にシフトしていくことが期待されます。定年をやめて年功序列賃金制を採っていたら、企業はたちまち行き詰まることでしょう。

第4に、中高年の労働意欲が高まります。人生100年時代、20歳から数えれば60歳はマラソンでいえばちょうど折り返し点に過ぎません。それなのになぜ「自分の社会人人生はもう終わりだ」などと考えるのか。それは定年があるからです。定年がなくなればもっともっとチャレンジができます。

最後に、労働力不足の日本では、定年を廃止して困る人はいません。定年の廃止は社会の現状に照らして整合的な政策なのです。

このように述べれば「いつまで働かせるつもりだ?」と反発する人がいるかもしれません。そうではありません。健康寿命を延ばす、即ち楽しい人生をおくるためには働くのが一番いい、という医者の考えに同意しているだけです。いつ仕事をやめるかは100%個人の自由だと思います。40歳で仕事をやめて後は遊んで暮らしたいと思う人は、40歳まで必死に働いて、お金を貯めればいいと思います。ただ、もっと働きたいのに自然年齢で自動的に働けなくなるような人為的な制度(定年)は歪んでいると思うのです。また、定年をやめたら認知症の人も雇用しなければならなくなると心配する人もいます。若者でも認知症になる人はいます。働けなくなったら解雇するのが古今東西世界の常識です。それは年齢に限ったことではありません。

「適用拡大」で「貧困老人」の発生を防ぐ

わが国の公的年金保険は、厚生年金保険と国民年金保険に分かれています。厚生年金保険は加入期間や期間中の収入によって支給額が異なり、平均すれば月額20万円程度、国民年金保険は平均5万~6万円という感じでしょう。なぜこれほどの差があるかというと、国民年金保険は自営業者のためのものだからです。つまり、国民年金保険はたとえば八百屋のおじさんのための年金なのです。

八百屋のおじさんは年を取っても店番くらいはできます。それでお小遣いがもらえるので5万〜6万円の年金でも生きていけるというのが国民年金保険の発想です。しかし被用者、すなわち誰かに雇われている人は店番ができないので20万円になる。

ところが被用者のなかで、パート、アルバイトなどおよそ1500万人は国民年金保険に追いやられています。本来なら被用者のなかで一番立場の弱いパート、アルバイトの人たちこそ厚生年金保険で守られるべきなのに、そうなっていないのです。ここに日本の一番大きな問題があり、老後の貧困という不安の根源はここからきています。

解決策はあります。厚生年金保険の適用を拡大し、パート、アルバイトなど全ての被用者を国民年金保険から厚生年金保険に移せば、老後の貧困といった問題の多くは解決できるのです。

では、なぜ実行できないのか。それは中小企業の経営者が「社会保険料を支払ったら商売が成り立たなくなる」といって反対しているからです。

しかし海外に目を向けると、ドイツのシュレーダー政権が2003年に適用拡大を含めた社会保険制度の大胆な構造改革を実施しています。もちろんドイツでも中小企業経営者が猛反対しました。でもシュレーダー元首相は反論しました。

ドイツの鉄血宰相ビスマルクは社会保険の父です。石炭と鉄鋼がメイン産業であった当時のプロイセンが勃興していくなかで、石炭・鉄鋼産業の現場で働いていた人たちは重労働で肉体がボロボロになっていきました。それを見たビスマルクは「プロイセンのために働いた市民を、動けなくなったら放置するようでは、プロイセンの将来はない」といって社会保険をつくったのです。プロイセンのために働いた人はプロイセンが面倒をみる、というのがビスマルクの考え方でした。

シュレーダー元首相はビスマルクの話を引いて「人を雇うということは、その人の人生に責任を持つということである。社会保険料を払えない企業は、そもそも人を雇う資格がないのだ」と言い切りました。要するに、人が元気なときだけ安い賃金で働かせて、その人が弱ったら放り出すのはビスマルクの精神に反しているのだと。

これに対して、ドイツの中小企業の経営者はビスマルクには反対できないので泣き落としに転じました。「パート、アルバイトの給与は少ない。そこから社会保険料を引いたらかわいそうではないか」と。

シュレーダー元首相はさらに反論しました。「正社員はたくさん給与をもらっているから事業主との負担割合は5対5でいい。しかしパート、アルバイトは給与が少ないんだから、事業主が7～8割以上負担すればいいだろう」。つまり、社会保険料を均等負担ではなく、傾斜をつけて企業負担分を増やす設計にしたのです。

至極真っ当な正論ですが、怒った中小企業の経営者たちによってシュレーダーは選挙で敗北しました。

ところが次に登場したメルケル首相は「シュレーダーの政策は私の政策とは対極にある。ただし個人的には政治家としてシュレーダーを誰よりも尊敬している。最も尊敬している政治家が政治生命をかけて行った政策をいじるつもりは毛頭ない」といってシュレーダーの大改革を引き継ぎました。これによって現在のドイツの強靭な経済システムが出来上がったのです。以上はドイツの友人から聞いた話です。

「適用拡大」には一石五鳥のメリットが

このように適用拡大はいいこと尽くめで、実行すれば定年の廃止同様に、一石五鳥の効果があります。まず人々が下流老人になる心配がなくなります。次に労働の流動化に貢献します。転職できない理由として多いのが「厚生年金保険が切れるから」ですが、適用拡大を行えばパート、アルバイトになっても厚生年金保険が切れずに済み、転職しやすくなります。

そして第3に、適用拡大は「第3号被保険者問題」の解決にもつながります。日本では20歳以上60歳未満の人はすべて国民年金保険に加入することになっており、自営業者とその家族などを第1号被保険者、ビジネスパーソンや公務員などの加入者を第2号被保険者、第2号被保険者に扶養されている20歳以上60歳未満の配偶者（年収が130万円未満の人）を第3号被保険者と呼んでいます。

大半がビジネスパーソンや公務員の妻である第3号被保険者は、自分で保険料を支払わなくても配偶者が加入している職場の負担で老後に国民年金を受け取れるのが現在の制度です。ところが夫婦ともに厚生年金保険料を支払っている共働き世帯や国民年金保険料を支払っている自営業世帯から見れば、第3号被保険者は保険料を支払わなくても制度の恩恵をうけることができるという不公平な制度になっています。これは、戦後の日本が男性は仕事、女性は家庭という性分業を推進するために設けた制度で、所得税の配偶者控除と並んで女性の社会進出を阻む大きな壁になっています。

しかし主婦の多くはパートで働いていますから、適用拡大を行えば自動的に第2号被保険者に切り替わり、問題は収束に向かいます。

第4に適用拡大で年金財政も好転します。厚生労働省が2019年に実施した公的年金保険の財政検証によると、1ヵ月に5・8万円以上の所得がある被用者およそ1050万人を国民年金保険から厚生年金保険に移すなどいくつかのオプションを組み合わせると、年金保険料を値上げしなくても、50％前後の所得代替率（現役世代の平均給与に対する年金額の割合）が約11ポイントほど上昇することが試算・確認されているのです。

最後に適用拡大のもっとも大きな効果は、ゾンビ企業が消滅することです。現在の公的年金保険では、企業が負担すべき社会保険料を負担しないことで、本来退場すべきゾンビ企業を存続させている一面があります。ゾンビ企業はダンピングに走りがちでその産業全体を安売り競争に導き、産業全体を弱体化させます。

「中小企業を守る」という美名のもとに、適用拡大はなかなか実現されませんが、実はそれが日本経済の足腰を弱め、老後の貧困という不安を生み出しているのが現状です。逆に考えると適用拡大は中小企業の体質や競争力を強化することにもつながるのです。

なぜ一石五鳥の適用拡大が実行されないかというと、日本にはシュレーダー元首相のように、強い反対を受けても国家百年の計のために必要な政策は実行するという勇気を持った政治家がいないからです。

市民の支持があれば政治家も動くでしょうが、メディアでもなかなか適用拡大の問題はきちんと報道されません。その結果、現状では適用拡大そのものを知らない人のほうが多い。このような状況を変えて経済を活性化し、人々の不安をなくしていくことは、自分のためでもあり、次世代のためでもあります。知識は力です。もっともっとみんなで適用拡大の議論を起こしたいものです。

グーグルやアマゾンを生み出せない日本の教育

日本ではバブル崩壊後、経済の低迷が長期化し、世界における経済的な地位が下降してしまいました。これも日本の将来に不安を抱かせる大きな要因となっており、経済の活性化は、私たちがいますぐにでも取り組まなければならない大きな課題です。

この30年間でどのくらい低迷してしまったのか、まずは数字を確認してみましょう。

スイスにルーツを持ち世界的にビジネススクールを展開するＩＭＤ（International Institute for Management Development）の世界競争力ランキングによると、日本のランキングは平成元年（１９８９年）には世界1位でしたが、平成31年（２０１９年）には30位まで落ちました。判断基準となる項目別では、日本は「ビジネスの効率性」が低く、ビッグデータの活用や分析、国際経験、起業家精神は63ヵ国中最下位でした。

一方、購買力平価で見たＧＤＰ（国内総生産）で日本が世界に占める割合もピーク時の9％から4・1％と半減以下に落ち込んでしまいました。

何よりわかりやすいのは企業の時価総額ランキングです。時価総額で見た平成元年（１９８９年）の世界トップ企業20社のなかには日本企業が14社ランクインしており、世界1位はＮＴＴでした。バブル景気のピーク直前だったので多くの企業が時価総額を伸ばしていました。
ところが現在、世界トップ企業20社にランクインしている日本企業はゼロ。トヨタの36位が最高です。

なぜこんなに日本の経済は弱くなってしまったのか。その原因として、人口減少を挙げる人がいます。しかし前述したように現在の75歳は昔の65歳と同じ体力なので、生産年齢人口を75歳まで拡大して考えると、75歳までの人口はそれほど減少していませんから、これが原因といえるかどうかは疑問です。

デフレもよく原因に挙げられますが、新しい産業がどんどん生まれ、経済が成長したら自然に物価は上がるでしょう。確かにデフレはよいことではありませんが、現在のデフレは新しい産業が生まれず、日本の経済が活性化せず、成長しなかったために起こった結果とみるべきで、順序が逆です。

人口減少もデフレも根本的な要因ではない。では、日本経済がこれほど弱くなった真の理由はなんでしょうか。そこで企業時価総額ランキングに目を向けてみます。トップ20社の中に14社も入っていた日本企業が姿を消した代わりに、どういう企業がランクインしたのかを見てみると、それはまずＧＡＦＡ（Google, Apple, Facebook, Amazon）です。すなわち、日本経済の停滞の要因はＧＡＦＡやその予備軍と目されるユニコーン企業を生み出せなかったところにあります。

グーグルは１９９８年の創業ですからまだわずか20年ちょっと、人間でいえば大学を卒業する頃です。フェイスブックに至っては２００４年の創業なので16年しか経っていない若い会社です。それにもかかわらずフェイスブックの時価総額はトヨタの2倍もあるのです。

ユニコーン企業とは未上場で評価額が10億ドル以上のベンチャー企業を指します。世界のどこにユニコーンが生息しているかというと、２０１９年7月末時点で、世界計３８０社のうち、アメリカが２００社弱、中国が１００社弱と全体の８割を占め、日本はわずか３社にすぎません（日本経済新聞）。問題の核心がここにあります。

戦後の日本の高度成長は製造業が牽引しました。ところがいまや製造業がＧＤＰに占める割合はおよそ20％です。雇用に占める製造業の割合に至っては20％を切り、17％（２０１８年度平均　総務省「労働力調査」）に過ぎません。もはや製造業には日本全体を引っ張る力のないことは明らかです。

日本経済の低迷は、新たな産業社会の牽引役になれるユニコーンがなかなか生まれないところに根本的な原因があります。学者によれば、ユニコーンを生むキーワードは、女性・ダイバーシティ・高学歴の３つだそうです。

まず女性ですが、現在の世界はサービス産業が引っ張る方向に向かっています。そしてサービス産業のユーザーは世界的に見ると女性が6〜7割と大勢を占めています。つまり需給ギャップが大きくなっている。このギャップを埋めるためにヨーロッパではクオータ制が行われているのです。ところがわが国の女性の社会的地位は153ヵ国中121位（世界経済フォーラム）というひどさ。これでは女性の望む新しいサービスのアイデアが生まれるはずもありません。

ダイバーシティについては、ラグビーワールドカップにおける日本チームの活躍振りを見れば誰しも理解できるのではないでしょうか。日本人だけで戦ってベスト8に入れたか。混ぜることでチームは強くなる、まさにOne Teamです。ビジネスの世界も同じです。日本の企業は極論すれば日本人の男性だけでワールドカップを戦っているのです。これでは地位が下がるのもなるほどとうなずけます。

高学歴についてですが、製造業とユニコーン企業を比べると、製造業で働く人は比較的低学歴で（世界の製造業の従業員の中に占める大卒以上の高学歴者は約4割）、ユニコーンは多国籍、高学歴という点に大きな違いがあります。

日本の大学進学率は53％前後でOECD（経済協力開発機構）平均より7ポイント程度低い。つまり、日本は先進国のなかでは大学進学率の低い国なのです。

そして大学に進学しても、学生があまり勉強をしない。これは学生ではなく企業側に責任があります。新卒採用面接で「アルバイトやクラブ活動でリーダーシップをとった経験は？」などという質問をしている限り、誰が勉強するでしょうか。内定を出した後にはじめて「成績表を送ってください」といわれる現状では、学生は必死になって勉強して良い成績を取ろうとは思わないでしょう。つまり、日本では採用基準に成績が入っていないのです。

グローバル企業はこうした成績軽視の在り方とは真逆です。グローバル企業はたとえハーバード大学の学生でも、成績が真ん中より下だったら見向きもしません。理由は簡単で、ハーバード大学の学生だから地頭はいいかもわからない。しかし成績が真ん中以下ということは、大学時代を勉強の手を抜いて過ごした人間である。こういう人を採用しても、上司に上手にゴマをすって仕事も手を抜くに決まっているから採用しても仕方がない、そう考えます。

一方でどこの大学出身であろうと成績が全優の学生は喜んで採用します。自分で選んだ大学で優れた成績を収めた人は、自分が選んだ職場でも優れたパフォーマンスを発揮する蓋然性が非常に高いと考えるからです。

大学院生を積極的に採用しないのも一般的な日本企業の傾向です。「なまじ勉強した奴は使いにくい」というのがその理由ですが、そんな馬鹿な話はありません。大学院で自分の興味があるテーマを深く掘り下げてしっかり学んだ経験のある人のほうが、仕事でも面白いアイデアを出すに決まっています。

「飯・風呂・寝る」の生活から「人・本・旅」へ

平成の30年間では一見すると日本の労働者の労働時間は減少していますが、正社員に限ると年約2000時間で全く減少していません。全体の平均した労働時間が減少しているのは労働時間が一般的に短い非正規労働者を増やしたからです。ということは、2000時間も労働していたら（200日働くとしたら一日10時間です！）、しかも仕事後、職場で飲みにいくという悪習もあるわけですから、正社員が勉強する時間などありません。

「飯・風呂・寝る」を繰り返すだけの生活になります。

大学への進学率が低い、大学に入っても勉強しない、大学院生を大事にしない、社会人になったら勉強する時間がない。こうした日本の働き方や社会の仕組みが、日本を低学歴社会化しているのです。

この仕組みは製造業の工場モデルにはぴったりでした。製造業で働く人に求められる特性は素直で我慢強く、協調性があって空気が読めて、上司のいうことをよく聞く人です。日本は製造業に過剰適応した社会といえます。

ではGAFAやユニコーンはどうなっているかというと、創業者は米国人と留学生など、異なる国籍の組み合わせが非常に多い。グーグルは、1995年に米国人のラリー・ペイジがスタンフォード大学院への進学を考えていたとき、ソ連出身で子供の頃に家族で米国に移住したサーゲイ・ブリンにキャンパスを案内してもらったことがその歴史の始まりでした。この2人が1998年にグーグルを立ち上げます。

つまり、ダイバーシティがあり、かつ高学歴な人たちの組み合わせです。学歴の内容もダブルドクターやダブルマスターが多く、しかも数学と音楽や、物理学と歴史学というように、文理の別を超えて好きなことを極めている人が目立ちます。こういう人たちを僕は「変態もしくはオタク」と呼んでいます。

こういう変態もしくはオタクの人たちがワイワイガヤガヤ議論していくなかで新しいアイデアが生まれ、それが実行に移されてユニコーンが誕生するのです。あるいはアップルの創業者スティーブ・ジョブズのように大学を中退してヒッピーだったような、強烈な個性を持った人がGAFAをつくっているのです。

これに対して日本の企業社会では、素直で我慢強く協調性があって空気が読めて上司のいうことをよく聞く人を喜んで採用しています。こうした社員を5人集めて「面白いアイデアを出せ」といって、面白いアイデアが出るでしょうか。出るわけがありません。

もはやグローバルな企業間競争は、競技のルールもしくは競技そのものが変わったのです。それなのに、いまだに素直で我慢強く協調性があって空気が読めて上司のいうことをよく聞く人を採用し続けているのは、野球からサッカーにゲームが変わったのに毎晩バットを持って素振りを続けているようなもの。本人たちは一所懸命努力をしているつもりかもしれませんが、それではゲームに勝てるはずがありません。働き方改革を行い、早く職場を出て、いろいろなことを学ぶべきです。たくさんの人に会い、たくさん本を読み、いろいろなところに出かけていって刺激を受ける、つまり、「飯・風呂・寝る」の低学歴社会から「人・本・旅」の高学歴社会へと切り替えなければならないのです。

「変態オタク系」が育つ教育を

新しい産業は女性、ダイバーシティ、高学歴の3つがキーワードで、豊かな個性を持つ人々が集まり、ワイワイガヤガヤ議論するなかから生まれてきます。しかし、製造業の工場モデルに過剰適応したこれまでの日本の社会構造からは、そうした人々の居場所がなかなか創造できませんでした。日本の大きな問題がここにあります。

現在の高校は進路別に国立系と私立系、理系と文系に分かれていますが、こういう画一的な分け方に馴染めない子供たちが不登校になったりするわけです。でも、未来のジョブズがそのなかから生まれてくるかもしれません。

だから僕は国立系私立系、理科系文科系という分け方はもうやめて、「偏差値系」と「変態オタク系」に分けてしまえと提言しています。人員は偏差値系が7割くらい、残りを変態オタク系という配分で。

偏差値系は理系と文系の区別をやめたうえで、偏差値の高低でクラスを決めます。変態オタク系は好きなことを徹底的にやってもらいます。数学は大好きだが国語に興味がなかったら、数学だけを徹底して勉強する。ゲームが好きだったらゲームに徹底的に取り組むというように。

一方で大学入学共通テストは、高校卒業資格の獲得試験と一本化します。たとえ高校に行かなくても、大学入学共通テストさえ通れば大学へ進学できるようにするのです。そうなれば飛び級も自動的にできるようになります。いま一部の進学校では、高校1〜2年生で全課程を修了し、2〜3年生はひたすら受験テクニックを学んでいるケースがみられますが、こんな無駄なことを行う必要はなくなります。

そして大学は東大型とAPU型の2パターンをつくる。偏差値系の子供は東大型を目指し、変態オタク系はAPU型が引き受ける。

以上は一つの極論モデルですが、このように大胆に教育を変えていかないと、AI（人工知能）やIoT（モノのインターネット）といったテクノロジーの発展でますます変化する世の中に、対応できなくなってしまうのではないでしょうか。

自分の頭で考えてこなかった日本の大人たち

変化が激しく将来の見通しを立てにくい世界で必要なのは、物事を根底から捉える探求力です。問いを立てる力です。「なぜ制服は自由に選べないのか。なぜ男性の制服がズボンで女性はスカートなのか」などと自力で考えられる子供たちを育成していかなければならないのですが、日本の教育はそのようにはなっていません。

先日、APUの食堂で学生とご飯を食べていたら、ある女子学生が「もうはらわたが煮えくり返るくらい高校の先生には腹が立った」と語ってくれました。何があったのかと聞いてみたら、彼女はロングヘアーで、髪の毛を頭の上にまとめていたらひどく叱られたというのです。

「ご飯を食べるときにお皿に入ったりするから、髪の毛をまとめろといわれるのはわかります。でも頭の後ろでまとめなければならず、上でまとめてはいけないというんです。その理由がわからないので質問したら『お前はアホか。そんなのは常識だ！』といってさらに叱られました。全然納得できません」

彼女のいう通りで、とても納得ができる話ではありません。「常識だから」で思考停止している先生方が率先してこういう発想を変えていかなければ、子供たちに探求力を教えられるはずがありません。

このエピソードは、教育委員会や高校の校長会など学校関係者の集まりに呼ばれたときによく伝えています。「世の中がどんどん変化して何が起こるかわからないのだから、原点から考える力を養わないといけない。考える力や探求力を養うためには、皆さんが、彼女の質問に答えられなければいけない。髪の毛は後ろに結ぶのが常識だといって押し付けているようでは、皆さんに高校生を教える資格はありません」と。

そうすると「どうすればそういう柔軟な発想ができるでしょうか」と聞かれます。「例えば校則を第一条から読み直してみてください。生徒からどんな質問が来てもその校則の存在理由を明確に説明でき、自信をもって生徒を説得できる以外の校則は、全部パワハラと考えてやめてしまう。そこから始めたらいかがでしょうか」と答えると、だいたいの人は下を向いて「頑張ります」と小さな声でいうのですが。

これからはＡＩやＩｏＴなどのテクノロジーが発達するから、文科系はひとまずおいて理科系教育に力を入れろという人もいますが、これも根底から物事を考えていない人の典型的な発想の一つです。

たとえば車の自動運転を実用化するためには、自動運転にあわせた道路交通法や自賠責保険が設計できなければ実現は不可能です。確かに自動運転を行うシステムの創出は理科系の分野かもしれません。でも運悪く強風で何かが車に落下して事故を起こしたら、被害を受けた人は誰に損害を請求すればいいのか。つまり自動運転を実用化しようと思ったら、道路交通法や自賠責保険等、文科系の制度設計ができる人を同時に育てないといけないのです。

「小さい頃からプログラム言語を教えよう」という人もいますが、そのプログラム言語は、教えた子供が大人になる頃にはおそらく使われていません。だから大事なことは何が起こっても自分の頭で物事を根底から考え、自分の言葉で意見をいえる能力なのです。

人間性に反した転勤命令を平気で下す日本の企業

ところが日本の大人の考える力は、社会的に地位が高い人でも驚くほど低くてびっくりすることがしばしばです。

ある大企業の人事担当役員と会食をしたときのことです。「転勤をしたくないというわがままな社員が増えて困っています。これでは日本の将来が心配です」と語るので、僕は次のように反論しました。

「そういう考え方は歪んでいると思います。企業命令でどこにでも自由に社員を転勤させられるという考え方は、2つのあり得ない前提を置いています。一つはその社員が『飯・風呂・寝る』だけの生活をしており、地域や社会との関わりは一切ないという前提。その社員はひょっとすると、週末は地域のサッカーチームで名コーチとして子供たちに慕われているかもしれません。もう一つはパートナーが専業主婦（夫）で、転勤を命じたら黙ってついてくるという前提。パートナーも仕事を持っていたり、地域とのつながりがあったりするでしょう。だからグローバル企業では、転勤するのは希望者と経営者だけです」

しばらく下を向いていた彼は、再反論してきました。「希望者だけ転勤させるようにしたら、札幌や福岡のような元気のある大都市にはみな手をあげますが、過疎地には行く人がいなくなってしまいます」と。

「希望者がいなければ現地採用すればいいだけの話です。過疎地にはあまり仕事がないので地元からは喜ばれるし、多様な背景をもった人材の採用にもつながるでしょう」。そう返したら、彼は黙ってしまいました。

「企業が命令したら転勤するのが当たり前」というのは高度成長期のいびつな考え方を何も考えずにそのまま引きずっているものですが、少し自分の頭で考えれば、社員の地域との結びつきやパートナーの事情を一切考慮していない、人間性に反した慣行であることにすぐ気付くはずです。

転勤というシステムは、無意識に終身雇用を前提にしていて、企業にはいろいろな事業所があるので全部見せておいたほうが後々の仕事で役に立つだろうという漠然とした考えから行われています。しかしいま、企業の寿命はどのくらいでしょうか。この質問を大学生に投げかけると、長くて18年くらいという答えが多い。仮にそのくらいだとすると、人生100年時代のキャリアとしては一生に3つから4つくらい企業を変わることになりますから、一つの企業のなかの、全国のいろいろな事業所などを、知る必要は全くありません。それより、専門性をみがいたほうがはるかに役に立ちます。

転勤は地域経済の発展にも悪影響を及ぼします。政府の審議会に参加したとき、ある県の知事が次のような発言をしていました。

「うちの県の政府系金融機関の支店長は非常に優秀で、県の経済分析をしっかりやってくれます。こんな立派な人が来てくれたのだから、これからブレーンとして県のために活躍してもらおうと思ったら平均2年以下の任期で転勤してしまう。これでは地域を支える人材にとどまってもらうことができません。政府や日本の大企業には、もう少し人事ローテーションを長くすることを考えて欲しい」

知事のいう通りです。人間は本来、地域と結びついて生きていて、パートナーも地域で生活しているのだから、企業の勝手でどこにでも転勤させられるという、人間の本質に合わないシステムをなくさない限り、永遠に地域おこしなどできません。従って経団連などの経営者団体にこういう誤った考え方を改めるよう主張していかなければなりませんが、なかなか改められないのは、先に述べたように素直で我慢強く協調性があり空気を読んで上司のいうことをよく聞く、自分の頭で原点から考えようとしない人間をつくってきたからです。

だからこそ日本は高度成長できたのは確かですが、いまやかつての成功体験が失敗の母となり、GAFAやユニコーンが生まれない原因にもなっているのです。

2018年6月の日本経済新聞電子版に「経団連、この恐るべき同質集団」という刺激的なタイトルの記事が掲載され、話題になりました。記事を執筆した西條都夫（くにお）編集委員は日本経済団体連合会の会長と副会長18名の計19名の経歴を調べ、次のような「超同質集団」という特徴を指摘しています。

（1）全員男性で女性はゼロ人
（2）全員日本人で外国人はゼロ人
（3）一番若い副会長で62歳。50代以下はいない

（4）起業家もプロ経営者もいない
（5）転職経験がない
（日本経済新聞電子版「経団連、この恐るべき同質集団」2018年6月21日より作成）

この超同質集団はGAFAやユニコーンとは真逆の在り方です。このような同質集団が経済の司令塔ではユニコーンが生まれないのは当然かもしれません。やはり世界中から多様な人々を集め、変態オタクを大切に育てていかなければユニコーンは生まれないのです。「女性・ダイバーシティ・高学歴・ラグビーのOne Team」を社会のいたるところにつくっていくことが急務です。

60歳は人生の折り返し地点に過ぎない

自分の頭で物事を根底から考える重要性がわかったところで、60歳がどういう年齢なのか改めて考えてみましょう。

政府が「人生100年時代構想」を掲げているように、日本は人生100年が決して夢ではない時代に入りました。すでに触れたように、現在の75歳の体力は昔の65歳に優に匹敵します。

動物の自立は自分で食い扶持を得ることなので、だいたい20歳ぐらいまでを子供とすると、大人としての人生は80年あります。そう考えると20歳からスタートして半分の40年が経過した60歳は、ちょうど人生のど真ん中。人生１００年時代の60歳は折り返し地点と位置付けられます。「60歳になったからそろそろ人生も終わりに近い」と思っている人は、定年制という歪んだ考え方に毒されているのです。

もちろん「還暦後は余生だ」といった捉え方も間違っています。マラソンでいえばまだ半分しか走っていない。それで何を悟り切ったことをいっているのか、という話です。守りに入っている場合ではありません。

むしろ折り返してからのほうが、冒険やチャレンジはしやすいのです。冒険が怖いと感じるのは、リスクがどのくらいあるかわからないからです。思い切って決断することを「清水(きよみず)の舞台から飛び降りる」といいますが、清水寺の舞台の高さが約12メートルとわかれば、12メートルのロープを用意すれば降りられるでしょう。リスクの内容（12メートル）がわかればそれはコスト（12メートルのロープ代）として計算できます。要するに、飛び降りる怖さは12メートルのロープ代に転化できるのです。

人生を半分走ってきた60歳はその分、世の中のことがわかっていますから、仕事も生活もおそらく恋もきっと上手にできると思います。ということは、若い頃よりも人生をもっと楽しめるということです。

4世紀の僧、法顕が示した健康の秘訣

ライフネット生命時代、僕の部屋には「法顕」という名前がつけられていました。法顕とは4～5世紀に中国の江南を支配した東晋という国の僧侶です。

インドで生まれた仏教が中国に伝わったのは1世紀前後といわれ、仏教を信仰する人は増えていきましたが、戒律は未整備でした。そこで直接インドに行って、仏の教えを学ぼうとする人たちが出てきました。

その先駆けとなったのが法顕ですが、399年に長安（現在の西安）を旅立ったとき、彼の年齢は60歳を超えていました。現在ならともかく4世紀末の60歳ですから、かなりの高齢者だったと考えられます。

法顕はタクラマカン砂漠を渡り、7000メートル級の山々が連なるカラコルム山脈を越え、インダス川を下り、インドに到着しました。この時点で出立から6年が経過していました。法顕はインドで仏教の聖地をまわり、経典を写経し仏教への理解を深め、スリランカから海路で413年に中国へ戻りました。なんと足掛け15年の長旅で、帰ったときには70代半ばになっていました。

4世紀末という大昔の、旅のルートも医療も何も整備されていない時代ですら、60歳を超えてなお命がけで学ぼうとした人がいたのです。60歳を超えたくらいで「あとは余生だ」などといっていたら、法顕に叱責されてしまうでしょう。

なお、僕の部屋の名前が法顕となったのは、メディアの取材の際、僕が還暦でライフネット生命を開業したことについて質問されたとき、「法顕に比べればほんの青二才です」といつも答えていたので、その話を聞いていた若い社員たちがそう呼ぶようになったのです。

60歳を超えた法顕が旅したと想像される中央アジアの光景

ちなみに法顕が長安を出発したときは何人かのお伴がいましたが、生きて帰国できたのは法顕だけでした。なぜ高齢の法顕だけが生き残り、他のお伴の人たちは死んでしまったのでしょうか。それは意欲や執念の違いではなかったかと僕は思います。

「仏教の本当の教えを中国に伝え

る」

その目標に対する意欲や執念。実際、法顕は中国に戻ってから『仏国記』という貴重な旅の記録を残しています。

極論すれば人間は脳であり、「せめてこれだけのことはやりきらなければ死んでも死にきれない」と思えば脳が指令を出して体を元気にするのです。見方を変えれば「病は気から」です。「病は気から」は現代科学でも実証されています。薬と人の遺伝子には相性があって、どんなによく効く薬でもランダムに人に与えると6～7割くらいしか効きません。しかも薬が効いた6～7割の人を分析してみると、そのうちの4割分程度はプラシーボ効果によるものでした。つまり、一番よく効く薬の薬効の半分近くがプラシーボということは、まさに病は気からの証拠といえます。

若い人と話していると、ときどき次のような質問を受けます。

「私は還暦や古希（70歳）になっても出口さんのように元気でいたい。ぜひ健康の秘訣を教えてください」

僕は「いまからそんなアホなことを考えるのはすぐにやめなさい」と答えています。まだ20代、30代から「70歳になっても元気でいたい」、「歳を取ってから病気になったらどうしよう」などと心配していたらかえって身体が病んでしまいます。毎日ご飯が美味しく食べられて、きちんと眠っていればそれで十分でしょう。

そもそも僕には何一つ皆さんにお話しできるような健康法はありませんし、現在は忙しいので運動も全くしていません。ただお腹が空いたらご飯を食べて、眠たくなったら眠るだけ。そんな生活を70年以上続けてきましたが、これまで病院に入院したことは一度もありませんし、医者も大嫌いなので職場の規定で受けなければならない健康診断を年に1回、受けているだけです。経費補助があるのでついでに人間ドックを受けている人も多いのですが、僕は最小限の検査しか受けていません。古希を超えたので、あとは神様次第だと心底思っているのです。

人間は動物なので病気になって回復しなければ死ぬのが自然です。そんなことは心配しても仕方がありません。むしろ、いらぬことを心配するからこそ病気になるのです。

人生で大切なのは好きなことをする時間

人生で大切なのは、何といってもパートナーや気のおけない友人たちと過ごす時間であり、自分が好きなことをする時間です。

僕が日常で好きなことは、食べる、本を読む、眠るの3つです。だから食べる時間はたっぷりとり、寝る前の1時間は本を読み、眠る時間もたっぷりとります。

現在のＡＰＵ学長としての仕事はけっこう忙しいので（秘書によると、２０１９年は、移動日・休日を除いても３２２日働いたそうです）、自分の時間を確保するために、できるだけ仕事は集中して合理的、効率的に取り組みます。昔からそうですが、遊んだり読書したりする時間が何より欲しいので、仕事はミニマムにするというのが僕の基本的な考え方です。

大企業に勤めていたときも仕事を指示されたら、「何のためにこの仕事をするんですか」と目的を確認して自分で腹落ちしたら「どうすればこの仕事を最短、最小限でできるか」を一所懸命考えていました。

腹落ちさえすればやる気がでます。僕の前任者がどうやったのかを参考にして、僕の考えた手順のほうが優れていたら「けっこう賢いな。よし一勝」とニヤリとする。前任者のほうが優れていたら「まだ甘い。集中力が足りない。一敗したな」と反省する。「今日は全勝したから一杯飲みにいこう」、「今日は負けたからもう少し勉強しよう」などと、そんな感じで楽しく仕事に取り組んでいました。

同じ時間を職場で拘束されるのであれば、楽しく仕事に取り組まなければアホらしい。怖い顔をして仕事をしていても楽しくありません。どこであれ、元気で明るく楽しく仕事をするのが僕のモットーで、それが健康につながっているのかもしれません。

小難しく考えて仕事を楽しいものではなくしている人もいますが、本来は苦しんで仕事をしたいなどとは誰も思わないはずです。元気で明るく楽しいほうがいいのは人間の本性なので、本性にしたがってシンプルに仕事をしたほうがいいでしょう。

僕が大学生のときに教えを受けた政治学者の高坂正堯（こうさかまさたか）先生は、「いま生きている人でわけのわからない話をする人には二通りある。物事の本質を理解していないか、ある程度理解はしているが格好をつけるためにわざと難しい言葉を使っているかどちらかで、どちらにしてもロクなもんじゃない」といわれていました。そのときから、僕は「わかりやすい」ということに最大の価値の一つをおくようになりました。まさに学恩です。やはり物事はシンプルにとらえたほうがいい。人間そのものがシンプルにできているからです。

人間はシンプルな存在だと教えてくれたのも、やはり高坂先生でした。高坂先生は熱狂的な阪神タイガースファンだったので、タイガースが勝った翌日の講義は素晴らしいものでしたが、負けた翌日の講義は明らかにエネルギーが落ちていたような気がします。僕自身、先に腹落ちすると仕事にやる気が出ると書きましたが、腹落ちしない仕事にはまったくやる気が出ませんでした。人間はその程度の存在なのです。

人間はいい加減で猪八戒のような存在

日本や中国だけではなく世界中で広く親しまれている『西遊記』を読むと、登場するのは自分勝手でハチャメチャな人たちばかりです。目標のために仲間と協力し合うようなことはあまりやらない。むしろ足を引っ張り合うことのほうが多いくらいです。神様やお坊さんですら立派な人たちばかりではありません。そこには人間の本音が表現されています。だからこそ『西遊記』は面白く、長く広く読み継がれているのでしょう。

人間観には大きく2種類あります。「人間は勉強すればそこそこ賢くなれる」という人間観と、「人間は猪八戒(ちよはっかい)のようなもの。つい怠けるし、異性にはすぐ心が動くし、美味しいものには目がなくていっぱい食べてしまう」という人間観です。もちろん僕は後者だと思っています。

学生時代に小田実(まこと)さんが述べた「人間みなチョボチョボや」という人間チョボチョボ主義にとても惹かれました。チョボチョボとは「みんなそこそこ恰好つけているけれど、一皮むいたら人間はみんな同じでアホな人ばかり」という意味で、それが人間の本性だと思います。自分自身、いい加減ですし、別に達観しているわけでは全くありません。それが人間のファクトだと考えています。

還暦くらいの人で、「60歳を超えたのに、私はまだ何事も成していない」と真面目に悩む人を見かけることがあります。でも、人間は猪八戒くらいの存在だと考えていれば、そんなことでいちいち気に病むことはありませんし、60歳は人生100年の折り返し地点と考えれば、もっと楽しくいろいろなことにチャレンジができるでしょう。

日本では真面目さや組織に対する忠誠心が重視され、組織への忠誠心を強く持って働く人が多いと思われがちですが、実は根拠がありません。

逆に米国のPR会社、エデルマンが世界27ヵ国、3万3000人以上を対象に実施した信頼度調査「2019 エデルマン・トラストバロメーター」によれば、自分が働いている組織に対する信頼度は日本が一番下から2番目のブービー賞です。最も高いインドネシアは89%、平均が75%なのに対して日本は59%にとどまっているのです。

これをどう読み取るか。日本は戦後、製造業の工場モデルが規範として形成されるなかで同調圧力が異常に高い同質社会になってしまったので、おそらくみんなが面従腹背の能力を自然と身に付けたのです。だから口では「組織を信頼しています」などといいますが、実際腹の中では全然信頼していないのです。そのいい証拠が、飲み屋で会社の悪口を言い合っている人々です。日本人が真面目だというのは幻想なのです。

また、他にも過去のエデルマンの調査のなかには興味深い項目がたくさんあります。

2016年のトラストバロメーターによると、経営層に求められる資質で最も多かった項目は、北米と欧州では「正直である」ことでした。北米では59％、欧州でも53％の人がそう答えています。一方、日本では26％にとどまり5位にすぎません。代わりに1位になったのが「決断力がある」の55％でした。

欧米先進国で「正直である」がトップになるのは情報公開が徹底しているため嘘をつけないという側面もありますが、やはり正直でない上司についていくのは嫌だということだと思います。正直でない上司には、いつ梯子（はしご）を外されるかわかりませんからね。

一方で日本の「正直である」ことの評価の低さは、大企業で不祥事やデータ改竄問題などが相次いだ事実とよく符合します。正直であるよりも誤魔化したほうが企業のためになると考え、実行してしまう。日本人が真面目であるという見方は、かなり怪しいのです。関西電力の事件などを見ると、とうてい21世紀の出来事とは思えませんね。

それでも仕事がつまらない人はどうするか

元気で明るく楽しく仕事をしたいといっても、実際の仕事は楽しいことばかりではない。そう考える人もいるでしょう。確かにその通りで、現実の仕事はつまらないこともたくさんあります。

しかしつまらない仕事を楽しくできる能力も、生きる力の一つです。それこそがまさに楽しく仕事をするコツでしょう。

雇用契約書には「楽しい仕事を与える」とは書いてありません。給与はこれだけ、拘束時間はこれだけ、仕事は企業が与えますと書いてあるだけです。つまり、自分にとってつまらない仕事が来るかもしれません。それは神のみぞ知る、です。

しかし、つまらない仕事を「つまらない」と愚痴ってやっていても楽しくはなりませんから、自分で知恵を絞り、どうすればつまらない仕事を楽しくできるかを考えればいい。どうしても思いつかなければ、転職サイトに登録すればいいのです。人手不足でたくさんの求人がありますから、そのなかからいくつか話を聞いてみて、いまより条件がよければ転職すればいいし、悪ければいい仕事が見つかるまで我慢すればいい。

それだけのことですから、ぶつぶつ不平不満や愚痴をいっている暇があったら、さっさと転職サイトに登録すべきでしょう。

戦後日本の製造業の工場モデルでは、我慢強い人を一所懸命育ててきました。しかし辛い仕事を我慢するより、楽しく仕事をしたほうがいいに決まっていますし、基本的に人間は好きなことをやってご飯を食べられるのが理想です。

フランスのエマニュエル・マクロン大統領も著書『革命』のなかでこう書いています。

フランスのマクロン大統領

私は、自らの文化と価値観を伝えるフランス、チャンスを信じ、リスクをとり、希望を持ち、不当な不労所得や私腹を肥やした人間の冷笑的態度を認めないフランスを望む。一人一人が人生を選択し、自分で働いて生計を立てることができ、効率がよく、公正で、行動的なフランス、最も弱い者のことを考え、自国の国民に信頼を寄せている、さまざまな面を融和させるフランスを望む。

（エマニュエル・マクロン『革命』ポプラ社）

マクロンは、一人一人が自分で選択した仕事で生計を立てられる国にしようと明言しています。黄色いベスト運動への対処などを見るにつけ、マクロンが政治家として有能かどうかはわかりませんが、思想家としてはとてもしっかりしていると思います。

人生を無駄にする3つの考え

いくら不平不満や愚痴を述べたところで、行動しなければ何も変わりません。世界を変えるのは行動以外の何物でもないのです。

社会派ブログで有名なちきりんさんの名言に『『愚痴を言う』、『他人を嫉む』、『誰かに評価して欲しいと願う』…人生を無駄にしたければ、この3つをどうぞ』があります。

この3つにはすべて人生を無駄にする根拠があります。まず、「あのとき、ああしていたら……」「こうしていれば……」と過去を悔やんで愚痴る人はたくさんいますが、済んだことは何一つ変わらないので「たら・れば」を述べても時間の無駄です。反省することは大切かもしれませんが、そんなに「タラ」が好きなら魚屋に行ってタラを買ってくればいい、「レバ」が好きなら肉屋に行ってレバーを買ってくればいいと僕は思っています。

他人を羨ましいと思っても、それで自分がその人のようになれるわけではありません。僕は中学生のとき、陸上競技をやっていました。単純に足が速かったので小学生の頃、リレーで他の選手を追い抜くと女子生徒がキャーキャーいって喜んでくれるのが快感でやっていたのですが、100メートル走は完全に才能の世界です。いくら練習しても記録は伸びませんでした。11秒台が出なかったのです。他人を羨んで「ああいう人になりたい」と願ったところで、生まれ持った天性の才能が違うのだから望んだようにはなれないのです。

ある友人が「何事でも必死にやれば至誠天に通ずなどというネボけたことをいっている

人は、中学校や高校でクラブ活動に一所懸命取り組んだことのない人だ」と喝破していましたが、これがわからない人が世の中にはたくさんいます。

先日、ある大企業の幹部研修で「次世代リーダーを育成するにはどうしたらいいですか」と質問されたので「リーダーの育成などできません」と答えました。「なぜ育成できないのですか」と重ねて質問されたので、次のような話をしました。

「あなたは中学校か高校で部活動をしていませんでしたか。バスケットボールをやっていたのなら、新人が入ってきたとき、その選手がレギュラーになるか補欠で終わるか、3ヵ月もかからずにわかりますよね。そんな当たり前のことがわかっているのに、なぜリーダーだけは育てれば育つなどと考えるのですか」

顔がそれぞれ違うように、人はみんな個性や特性が異なります。バスケのレギュラーになれる人と補欠で終わる人がいるのと同じで、企業ができるのはリーダーの素質がある人を見つけ出すことだけです。誰でも教育を施したら優れたリーダーになれるという考え方は、誰でも部活で練習させたらレギュラーになれるという非現実的な考え方と一緒です。

人の能力は個人によって異なりますが、もちろん貴賤はありません。リーダーがえらいわけでは全くなく、リーダーやフォロワーというのは組織の機能なのです。投手に向いた人もいれば野手に向いた人もいる、監督に向いた人もいれば選手に向いた人もいる、同じようにリーダーにも向き不向きがある、たったそれだけのことです。適材適所という言葉の通りです。他人を嫉んでも仕方がない理由がここにあります。

この3つのなかで一番厄介なのは、人に評価されたい、褒められたいという気持ちです。でも、そのことばかりを重視していたら「この上司にはこのように接したほうがいい」などと、どこでも誰に対しても八方美人になってしまい自分自身がなくなってしまいます。

他人に何といわれようと「天知る、地知る、我知る、人知る」で、天も地も見ているし、何より自分が見ているのだから、人に評価されたい気持ちなどは捨てて、自分がいいと思ったことに全力で取り組めばいいのです。

「仕事が生きがい」という考え方が自分をなくす

「仕事が生きがい」という考え方も、自分自身をなくしてしまうことにつながりかねません。フルタイムで働く人の1年間の労働時間は約2000時間。これに対して1年間は8760時間。人の生活のなかで労働時間は2割強に過ぎません。物事のなかで2割強のウェイトなど、極論すればどうでもいいことです。

それよりも人間の幸福にとって大事なことは、食べて寝て遊んで子供を育て、好きな所へ行き、いいたいことをいえることです。では誰と食べ誰と遊ぶのか、つまりパートナーや友人が人生では一番大切だと僕は思うのです。

人間の歴史を見ていると、人間が不満を持つのはこれらが自由に選択できないときで、生活に困ったり、移動の自由や言論の自由が失われたりすると、革命が起こったりしています。

見方を変えると、人間の幸福はそれほどたいしたものではない、ということです。ご飯を食べられて横になれる寝床があって、子供を安心して育てられ、好きなところに旅ができて上司の悪口を目いっぱいいえれば、あまり不満は生じないのです。大事なことは時間にして2割強の仕事より、8割近くの時間を過ごす仕事以外の部分です。

逆説的ですが、この見極めがつくと、思い切って仕事ができるようになります。長い人生においては現在の仕事などどうでもいいことなので、上司にゴマをすったりあえて職場の空気を読んだりする必要はない。誰が何といおうと好きなことをやればいいと考えることができます。仕事ができない人の多くは、こういったワーク・ライフ・バランスの配分を間違えているのです。

しかも現在の日本の労働市場は売り手にとって最高の状況です。

「AIが仕事を奪う」といった内容の本や記事が山ほど出ていますが、少なくとも

２０１９年４月に施行された改正出入国管理法を見る限り、日本政府はＡＩが人の仕事を代替するとは信じていないことが、白日の下にさらされました。

政府の説明によると今後５年間で受け入れを見込んでいる外国人単純労働者は最大約34万人程度です。ＡＩが仕事を奪うという本は、何百万人単位で仕事がなくなると脅しをかけていますが、改正出入国管理法は、この先５年くらいは34万人程度の仕事もＡＩでは代替できないと日本政府が考えている証左です。これをみれば当面は大した心配はいりません。

確かに、ＡＩやＩｏＴといった新しいテクノロジーの発展には目を見張るものがあります。先日、日清食品が新たにつくった最新鋭の関西工場の落成式へお祝いに伺ったのですが、この工場では最新鋭設備の導入やＩｏＴ技術の活用により自動化と効率化を進めた結果、従来に比べ50％以上省人化が実現できたそうです。だから新しい工場ができるたびに、必要な人員は減っていきます。

では日本全体で労働力が余るかといえば、全然足りません。前述した通り現在70代前半の団塊世代は１歳当たり２００万人くらいいますが、順次仕事から引退していきます。その一方で、新社会人になるのは毎年１００万人弱。つまり単純計算すると１００万人単位で人が足りなくなっていくのです。ＡＩやＩｏＴで埋められる規模ではありません。

労働政策研究・研修機構の２０１８年度「労働力需給の推計」では、ゼロ成長で労働参加が現状のシナリオの場合、２０４０年の就業者数は２０１７年の６５３０万人から５２４５万人へ、実に１２８５万人も減少すると推計しています。

選り好みさえしなければ、現時点では将来的に仕事がなくなる心配はほとんどないと思います。むしろＩＴ社会においては、新しい仕事が次々に生まれる可能性もとても高いのです。いま、子供たちに大人気のユーチューバーという仕事も、つい最近生まれたばかりの仕事です。

一方でテクノロジーの急速な発展が所得の二極化を引き起こしているといわれています。ただ、どんな時代でも頑張る人は頑張り、サボる人はサボるので二極化は生じます。お金儲けでもスポーツでも、よくできるグループとそうでないグループができてしまうのは自然な現象なのです。弥生時代にも二極化はあったといわれています。

それに対してどのような対処法があるかというと、近代の国民国家は税金を市民から徴収し、再分配政策を行ってきました。つまり二極化が問題になるのは、政府の再分配機能が上手く働いていないからです。したがって二極化問題の本質的な解決には、良い政府をつくって再分配をきちんと行うことが必要です。「二極化はけしからん」と思うのなら、みんなで選挙に行って少しでも良い政府をつくる努力を行うことが唯一の解になります。テクノロジーの発展は止めようがないのですから。

【参考文献・資料】

日本老年学会・日本老年医学会『高齢者に関する定義検討ワーキンググループ報告書』
https://www.jpn-geriat-soc.or.jp/info/topics/pdf/20170410_01_01.pdf

本川達雄『生物学的文明論』新潮新書

出口治明「１８０万年前の老人が、歯が抜けても生きていたワケ」ライフネットジャーナル　オンライン
https://media.lifenet-seimei.co.jp/2016/03/04/6152/

ナショナルジオグラフィック「連載：科学者と考える地球永住のアイデア　第1回　馬場悠男（人類学）：骨から探る人類史〜思いやりの心を未来の子孫に向ける（提言編）」
https://natgeo.nikkeibp.co.jp/atcl/web/18/071000013/082000002/

総務省「労働力調査（基本集計）　平成30年度（２０１８年度）平均結果」
https://www.stat.go.jp/data/roudou/sokuhou/nendo/index.html

日本経済新聞「日本の競争力は世界30位、97年以降で最低　ＩＭＤ調べ」２０１９年５月29日

日本経済新聞「日本のユニコーン3社に　米中との差、依然大きく」２０１９年８月５日
https://www.nikkei.com/article/DGKKZO48131630S9A800C1FFR000/

内閣府　国民経済計算（ＧＤＰ統計）　年次推計主要計数　生産（産業別ＧＤＰ）
https://www.esri.cao.go.jp/jp/sna/data/data_list/kakuhou/files/h30/sankou/pdf/seisan_20191226.pdf

文部科学省「学校基本調査―令和元年度結果の概要―」

http://www.mext.go.jp/b_menu/toukei/chousa01/kihon/kekka/k_detail/1419591_00001.htm
労働政策研究・研修機構『データブック国際労働比較（２０１８年版）』
グーグル「ガレージからGoogleplexへ」
https://about.google/intl/ja_jp/our-story/
日本経済新聞電子版「経団連、この恐るべき同質集団」２０１８年6月21日
https://www.nikkei.com/article/DGXMZO31995500Q8A620C1X12000/
清水寺よだん堂「Vol.1　清水の舞台から飛び降りた⁉」
https://www.kiyomizudera.or.jp/yodan/vol1/index_2.html
出口治明『人生の教養が身につく名言集』三笠書房
出口治明「別冊ＮＨＫ１００分de名著　読書の学校　出口治明特別授業『西遊記』」ＮＨＫ出版
Edelman「２０１９　エデルマン・トラストバロメーター」
https://www.edelman.jp/research/edelman-trust-barometer-2019
Edelman「２０１６　エデルマン・トラストバロメーター」
https://www.edelman.jp/research/trust-barometer-2016
エマニュエル・マクロン『革命』ポプラ社
日清食品株式会社「新工場建設に関するお知らせ」
https://www.nissin.com/jp/news/5665
労働政策研究・研修機構「労働力需給の推計　―労働力需給モデル（２０１８年度版）による将来推計―」
https://www.jil.go.jp/institute/siryo/2019/documents/209.pdf

第二章　老後の孤独と家族とお金

「老後の孤独」の本質は歪んだ労働慣行にある

いま書籍でよく売れているのは「老後の孤独」をテーマにしたものです。しかしファクトを直視すれば、人間は一人で生まれ一人で死んでいきます。つまり人間は孤独なのが本来の姿であり、それは人間のみならず動物の本性です。

こんな話をすると「悟ったようなことをいいますね」とよくいわれるのですが、僕はブッダのように悟りを開いた人間ではまったくありません。ただ世界の姿をフラットに、ありのまま見ているかどうかの違いです。

日本の社会で老後の孤独が問題になるのは、問題設定自体がおかしくて、一括採用、終身雇用、年功序列、定年という高度経済成長期の人口増加を前提としたガラパゴス的なワンセットの労働慣行こそが老後の孤独を招いているのです。このワンセットの仕組みのなかで多くの日本人は根拠なき精神論に鼓舞され長時間労働に従事してきました。

この仕組みのなかで働く人は、ともすれば職場と自宅を往復するだけの「飯・風呂・寝る」の生活に陥らざるを得ません。長年にわたりそういう生活を強要されてきた人が、60歳になった途端、「明日から来なくていいですよ」と職場にいわれたら、何をしたらいいかわからなくなるのは当然です。これを「老後の孤独」と名付けているだけであって、本当の問題は歪んだ労働慣行そのものにあります。「飯・風呂・寝る」は「人・本・旅」の対極にあるライフスタイルです。「人・本・旅」の生活を続けていれば、趣味も職場以外の友人もたくさん見つけるチャンスがあります。日本の労働慣行は、人間を全く大事にしていないのです。

脳科学的に考えると、基本的に頭を使う人の労働は一回に集中できる時間が2時間程度であり、2時間かける3コマか4コマが一日の限界です。そうするとせいぜい8時間しか働けませんから、あとは早く帰宅して地域の人々といろいろな触れ合いを楽しむのが世界では普通です。あるいは趣味のサークルに入ったり、ボランティアや副業に従事したり。このように普段から職場以外の世界が広がっていれば、勤務先を退職しても自由な時間を楽しむ友人がたくさんいますし、そもそも多くの国では定年制度がありませんから、ずっと働くこともできます。

結局、老後の孤独というテーマは問題設定自体が間違っていて、日本の歪んだ労働慣行が、働く人を粗末に扱っている問題だと再設定すべきです。その意味からも働き方改革を行い、「人・本・旅」のライフスタイルを定着させることが老後の孤独をなくすことにつながるのです。

死んだら星のかけらに戻るだけ、恐れても仕方がない

次に死について少し考えてみましょう。

確かに親しい友人や知人が亡くなると、僕も寂しさや喪失感を感じます。しかし、それは若いときでも年をとってからでも一緒で、恋人を失ったら喪失感を抱くのと同じことです。

年齢を重ねるほど親しい人を喪う回数が増え、寂しさを感じる回数も増えるのは間違いありません。でも、それもよく考えてみれば友人が高齢者の場合だけの話であって、「人・本・旅」の生活で年齢にかかわらず友人を増やしていけば、それほど喪失感は感じないでしょう。動物は年を取れば年齢が上のほうからだんだん死んでいくものです。そんなことは誰でも知っています。親や兄弟、パートナー、親しい友人が亡くなって心が病んでいくという現象があることは理解できますが、結局、死というファクトに対しリアルに向き合えば、人間の死は自然現象として受け入れるしかありません。

自分の死に対して恐怖を感じる人もいるでしょうが、確実な事実として人間は誰でもいずれは死を迎えるのです。必ずやってくる未来に思い悩んでも仕方がありません。

死については古来、哲学者たちが「人間はどこから来て、どこへ行くのだろう」と考えてきました。しかし、いまは自然科学の進歩でもう答えがわかっています。私たちは星の

かけらから誕生した生物の一種で、死んだらまた星のかけらに戻るだけ。すなわち、死んだら物質に戻り土に還る。そこに感傷の入り込む余地は全くありません。

地球上の生命の歴史は約40億年あり、その悠久の長い歴史のなかで私たちの直接の祖先であるホモ・サピエンスが生まれたのがわずか20万年ほど前であって、あと10億年で地球上の生命の歴史が終わることもわかっています。太陽が膨張して地球上の水が失われるからで、フランスの社会人類学者クロード・レヴィ＝ストロースが人間なくして地球は始まり、人間なくして地球は終わると述べた通りです。

人間の本質は脳にあって、魂の存在はないと僕は考えています。もちろん宗教を信じるかどうかは各人の自由なので、輪廻転生で死後は何かに生まれ変わると考えてもいいし、最後の審判まで眠りにつくと考えるのも自由ですが、自然科学では人間は星のかけらからきて星のかけらに戻ると説明しています。

20世紀になって哲学が昔ほど流行らなくなったのは、自然科学が進み過ぎたからでしょう。20世紀になって絵画が流行らなくなったのが、写真が急速に発達したからなのと同じように。

次の世代のために、自分のできることに取り組む

では、人間は何のために生きるのか、という哲学的な問いが出てくるかもしれませんが、これもとっくに答えが出ています。動物である人間は、すでに述べた通り、次の世代のために生きているに決まっているのです。自然な感情としても、誰でも子供や孫のためによりよい世界を残したいと思うでしょう。

それでは何をすればいいのかといえば、僕は「世界経営計画のサブシステムを担う」ことだと思います。

人間は「世界経営計画」のなかで生きています。これは僕の造語ですが、要するに人間は「自分の周囲の世界を、より生きやすいように変えたい（経営したい）」という思い（計画）を持っているということです。人間には向上心があるので、「ここを変えたい」という気持ちが必ずあります。世界を少しでもよくしていく取り組みは、まさに次の世代のための営為です。

ただ、人間は神様ではないので、自分一人ではすべてを変えることはできません。世界経営計画のメインシステムを担えるのは神様だけ。一人ひとりの人間にできることは「サブシステム」を担うことだけです。つまり自分がいまのポジションで担える部分を受け持ち、世界をよりよく変えるために貢献していくしかありません。

僕の故郷では毎朝、家の前と向こう三軒両隣の道を掃いているおばあさんがいました。彼女の行為は、まさに世界経営計画のサブシステムの実践といえます。本人がそこまで意識しているかどうかはわかりませんが。つまり、周囲の世界をもっときれいにしたいという世界経営計画があり、でもいまの自分にできることは向こう三軒両隣の道を掃くことぐらいしかないということです。

このように一人の人間にできることは小さいかもしれませんが、それが世界にどんな影響を与えるかは誰にもわからない。グレタ・トゥーンベリの行動はまさにそのことを私たちに教えてくれます。北京の一羽の蝶の羽ばたきが数年後、ニューヨークで暴風雨を呼び起こすかもしれません。だからいま自分がいるポジションで、いまの自分ができることに少しずつ取り組んでいく。こうした生き方こそが、結果として生きがいや働きがいにつながっていくと僕は考えています。

言い方を変えれば、人間は自分の好きなように生きればいいのです。そもそも嫌いなことは長続きしませんし、人間の理想は好きなことをしてご飯を食べられることです。人間は次の世代のために生きていると理解したうえで、それぞれが好きなことをして一所懸命生きればそれで十分なのです。

運をつかむカギは「適応」にあり

僕自身は、正直なところ、とてもいい加減で怠け者の人間で、かつ人間の歴史を見ていると、人間はまったく賢くないと考えています。だから、それほど賢くない人間に大した世界経営計画はつくれないと結論しています。要するに、将来何が起こるかは誰にもわからないので、川の流れに身を任せるのが一番素晴らしい人生だと常々思っています。

だから川の流れに身を任せて流されていくなかでたどり着いたその場所で、自分ができることにベストを尽くすことぐらいしかできません。家の向こう三軒両隣を毎朝掃除しているおばあさんと一緒です。ライフネット生命を立ち上げ、いまAPUの学長を務めているのはたまたま幸運な出会いに恵まれただけのことです。まさにダーウィンの進化論が示すように、運と適応だけです。

「運を引き寄せるのも実力のうち」などという言い方をする人がいますが、これはまったく非科学的な考え方です。運というのはアトランダムに起こるものです。棚からぼたもちが落ちそうなとき、その周囲にいることが運です。適当なときに適当な場所にいることが運です。

でも、棚の近くには他の人たちもいる。そのなかで真っ先に気が付いて、直下に走って大きい口を開けた人だけがぼたもちを食べられる。これが適応です。

運がアトランダムであれば、いつどこの舞台の上にスポットライトが当たるかは誰にもわかりません。ただ、稽古なのに本番だと思って一所懸命やりすぎて踊り疲れてしまったら、肝心のスポットライトが当たったときによいパフォーマンスはできません。つまり、カギは適応にあります。

僕と同じくらい生命保険に詳しい人は、世の中に少なく見積もっても数千人以上はいると思います。だからそのみんなに同じような起業のチャンスはあったのかもしれません。ただ、そのチャンスが来たときに、適応できるかどうかなのです。

ライフネット生命の誕生は本当に偶然の産物でした。友人から「知人が生命保険に詳しい人間を探している。どうせお前は暇だろうから、生保の現状について話をしてやってほしい」と頼まれて、あすかアセットマネジメントリミテッド（現あすかアセットマネジメント）の谷家衛（たにやまもる）さんという人を紹介されました。

夜の9時に東京のホテルのロビーに来てくださいといわれたので、その通りに到着しましたが、谷家さんは約束の時間にやってきませんでした。僕は時計を持たない主義なので正確な時間はわかりませんが、20～30分待ったと思います。普通なら初対面で向こうから勉強したいといっているのに遅刻されたら、5分で帰る人もいるでしょう。そもそも夜の9時という非常識な時間設定をされた時点で断る人もいると思います。

でも僕は親友の紹介なので「面白そうだから行ってみよう」と思い、遅刻されても「まあせっかく来たんだから待ってみよう」と考えました。そして小走りでやってきた谷家さんは子供のような顔立ちの人で、直観で悪い人ではなさそうだと感じました。谷家さんからその場で「一緒に保険会社をつくりましょう」と誘われたので、直観で「いいですよ」と即答してしまいました。

正直、「これはチャンスだ」と感じたわけではありません。こんなに若くて人のよさそうな人に声をかけられたのは、これも運命の一つだからやってみようと直観で決めただけです。

直観というものは、いままでの人生で積み上げてきたデータをフルに使って脳が判断しているわけですから、直観以上に正しいものはないと思っています。もちろん時間があれば十分に分析、検討することができますが、時間がないときは直観で受け答えするしかありません。

わかりやすいのは男女の出会いです。みなさんも経験があると思いますが、異性が出会った後、お付き合いしてくださいと告白するチャンスは実はそれほど多くはありません。ある状況のなかでうまく告白できて、受け入れてもらえた場合にカップルが誕生するので、やはり男女の出会いも直観が大切です。

人と人との出会いでも、よい出会いはランダムに訪れます。そのときにどう適応するかがすべてで、そこでも直観が重要な役割を果たします。

人間は毎日がイエスノーゲームの連続です。たとえば「ランチを食べに行きましょう」と誘われたとき、イエスというかノーというか。これも一つの選択です。イエスといってランチに出かけたら、そこで別の友人に会うかもしれない。新しい人を紹介されるかもしれない。そこで名刺交換するかどうかも、イエスノーの選択があります。

そういう毎日のなか、すべてイエスで行動する人と、ノーで行動する人とではあっという間に大きな違いが出てきます。

僕はイエスノーゲームでは基本的に面白そうな方向を選びます。よくわかっていることとわからないことであれば、常にわからないほうへ行く。外国の町へ行って、きれいな大通りとうす暗い裏通りがあれば、必ずうす暗い裏通りへ行きます。そちらのほうが何となく面白そうだからです。

つまり僕はどちらかというとワクワクドキドキするほう、つまりリスクを積極的に取り、わからないことを面白いと思うタイプで、だから人に誘われれば必ず足を運びます。どんな人が来るかわかりませんから。もしつまらなかったら、「今日は原稿を書かなければいけないのでお先に失礼します」と断って帰ればいいだけです。ただ、「知らない人と貴重な時間を過ごすのはムダである」と考える人もいるでしょう。これは好みの問題です。

ここでいいたいことは、運はアトランダムにやってきて、そこに個人の適応がうまくミートしたときにチャンスが生まれるということです。

繰り返しになりますが、適当な時期に適当な場所にいることが運であり、走って大きな口を開けることが適応です。好みの問題はあるにせよ、何らかのチャンスを得たいと思う人であれば、家にこもっていても仕方がないのです。どんどん外に、広い世界に出ていくしかありません。

人とのつながりは「自分」というコンテンツ次第

外に行って誰と会い、どんな人とつながりをつくるのか。会う人が同年代の人ばかりに偏るのも、逆に「若い人たちと交流しなければ」といって無理に若い人とのつながりをつくろうとするのもどうかと思います。

僕は年齢に価値を置いておらず、年功序列という考え方にもほとんど興味がありません。基準は面白い人かどうかであって、求めているのは自分に刺激を与えてくれる人。年を取っていようがまだ若かろうが、そういう人たちとご飯を食べて、ワイワイガヤガヤ議論をしたい。

先日主催した食事会のメンバーはAPUの学生とダンサー、ピアニスト、日本舞踊家、大学教授、企業の社長、社会起業家、音楽家、作家、ジャーナリストそして僕です。世代も職業もてんでんばらばらです。

この集まりは仕事とは何の関係もありません。ちょうどその日の夜があいていたので、久しぶりに友人と飲もうと思いつき、その前後に連絡をとった人や「そういえば最近会っていないな」と頭に浮かんだ人にアトランダムに声をかけただけです。別に深く考えてメンバーを選んでいるわけではありません。

要するに「来る者は拒まず去る者は追わず」で、緩く扉を開いているだけです。自分にアクセスしてくる人は、自分のことを面白いと思ってくれているのだから、ありがたいと思って受け入れる。自分から去るということは、その人にとって自分は魅力がないということなので、追いかけても仕方がない。

ずっとそう思ってやってきたので出会いの母数が多くなり、結果として人脈も広くなりました。「なぜそんなに広い人脈があるんですか」と質問されることがありますが、それは長い間にたくさんの人と会ってきたからというだけのことです。出会いの母数が多ければ、一定の確率で社会的に高いポストについている知り合いも増えます。

人脈などは意図してつくれるものではありません。「この人は偉くなるから仲良くなっておこう」と思っても、病気で亡くなってしまうかもしれません。

だから「人脈のつくり方」といった本を一所懸命読むのは、まったく意味がないと思っています。そんなことはできるはずがないんですから。その手の本には例えば毛筆で手紙を出すといいなどと書いてあるので、実際に「これからもよろしくお願いします」と毛筆で書いた手紙をいただいたことがありますが、その人とまた会っているかというと、そうではありません。毛筆で手紙を出そうがなしのつぶてだろうが、面白いと思った人にはまた会いたいと思うのが人情でしょう。そこは技術論ではなくコンテンツの問題なので、テクニックを弄(ろう)しても仕方がないのです。

そんなことをしなくても、自分に魅力や面白いところがあれば、人は向こうから集まってきてくれます。「この人、面白そうだから食事に誘ってみようかな」と。

僕の友人に、仕事をやめたら奥さんに「もう面倒くさいからご飯はつくらない」と宣言された人がいます。働いているときは稼いでくれたからご飯をつくってあげたけれど、あなたが仕事をやめたのだから私も楽をさせてもらいます、と。

彼は途方にくれて料理学校に通い始めました。ところが、最初は1ヵ月程度通って、簡単なものでもつくれるようになろうと考えていただけなのに、すっかり料理をつくる楽しさにハマってしまい、1年通い続けました。

美味しい料理をつくれるようになったら、人に食べさせたくなるのが人情です。彼が手あたり次第に知り合いに「ご飯を食べにいらっしゃい」と声をかけると、みんなワインやチョコレートを手土産にやってきて、料理を振る舞うと「また誘ってください」と喜んでもらえるようになったそうです。奥さんも三食ご飯をつくってくれると喜んでいます。彼はたびたび食事会を開催し、「お客さんに囲まれて、いまは毎日が楽しくてしようがない」と自慢していました。

彼のように、その人と一緒にいると面白かったり楽しかったりすると、人は自ずと寄ってくるのです。

人生は愛情や友情の獲得競争

人間は本来、孤独な生き物であり、人生の幸福とは、ご飯と寝床があって子供を育てられ、好きなところに行けて上司の悪口をいえればそれでいいと述べましたが、これらを一人でやってもあまり楽しくはありません。上司の悪口を一人でぶつぶついっていても仕方がなく、誰か共感してくれる人が一緒にいるほうが人生ははるかに楽しいものです。

要するに、パートナーの愛情や友人の友情があったほうが人生は楽しくなるのです。その意味で、人生は愛情や友情の獲得競争といってもいいでしょう。

人生で一番大切なのがパートナーや友人で、そういう存在にどこで出会えるかといえば、仕事や社会との関わりのなかからです。その意味でもどんどん外に出たり、自分のコンテンツを豊かにしたりして、新たな人との出会いをつくったほうがいいのです。家に引きこもっている場合ではありません。

恋人が欲しいと思ったら、出会いの機会を増やすために毎晩合コンへ行くというのが一つの方法ですが、「異性との接し方がわかりません。もう少し経験を積んでから」といってこれらの場への参加に怖気(おじけ)づいてしまう人がいます。でも、そんな愚かな話はありません。異性との接し方は合コンでふられまくってはじめて少しずつ理解できてくるもので、家に閉じこもってハウツー本を読んだところで理解などできません。

年齢にかかわらずこれまで所属していたコミュニティを飛び出して、別の世界へ足を踏み入れることに躊躇する人は多いのかもしれません。でも、それは合コンに怖気づいているのと一緒です。実際に別の世界に飛び込んでみなければ、異なる世界に属する人との接し方は学べないでしょう。

家族とどう向き合うか

家族についても、自分と一緒にいて楽しいと思ってくれればよい関係が続いていくし、楽しくないと感じれば去っていくだけの話だと思います。

家族は友人や知人よりもはるかに長い時間一緒に生活しているのですから、家族のためを考えて、どんなことをしたら家族が喜ぶのかを考えるのは当たり前過ぎるほど当たり前の話です。一緒に暮らしている人を大事にできない人からは、家族は離れていきます。「飯・風呂・寝る」の生活を続けて家族を顧みなかったら、去られてしまうのは当然の帰結といえるでしょう。

テレビドラマのタイトルにもなった熟年離婚は、基本的には僕はいいことだと思っています。昔は好きだったけれどいまは嫌いになってしまった人と一緒に生活し続けるのは、お互いにとって大きな負担になるからです。嫌な人と一緒にいても、ちっとも楽しくありません。

熟年離婚が起きる背景には、日本社会の体質が非常に古いことがあげられます。たとえば「家族のマネジメントもできなくて管理職が務まるか」といった根拠なき精神論を述べる管理職のせいで、世間体を慮って仮面夫婦を演じている人が多いといわれています。つまり、実質的には離婚状態だったものの世間体のために婚姻関係を維持してきた仮面夫婦が定年になり、世間体を気にする必要がなくなったのでようやく別れる、というような。これは互いにとって本当に不幸なことです。

本来は仕事をチェンジするのと同様に、嫌ならパートナーもチェンジすればいい。それが人間本来の自然な姿です。既に欧米の先進国ではそうなっています。

『置かれた場所で咲きなさい』という本がベストセラーになりましたが、こういうタイトルの本がベストセラーになること自体が、日本社会の後進性や歪みを象徴していると思います。せっかく置いてもらったのだから、ご縁があったのだから、そこで咲けるように一所懸命頑張ろう、というのは十分理解できます。でも咲けなかったらその場所にこだわる必要はなくて、どんどん別の広い世界に出ていけばいいと思うのです。

著者の渡辺和子さんはとても立派な人で、あの考え方が間違っているとは思いませんが、考え方としては漫画家・随筆家で『国境のない生き方』の著者、ヤマザキマリさんの「世界は広いのだからどんどん出ていこう」というほうが僕は好みです。やはり人は基本的に自分の好きなように生きたほうがいいと思います。

家族との付き合い方に話を戻すと、結局は人間として相手と誠実に向き合うという一点に尽きます。これは家族に限らず、さまざまな人たちとの付き合いや出会いにおいても同様です。

仕事をしていると日々、いろいろな場所でいろいろな人との出会いがあります。そしてほとんどの人とお会いするのは一度だけ。一生に一度だけの邂逅です。

ほとんどの人との出会いが一期一会であるならば、その場その場を誠実に、自分の役割に一所懸命取り組まないと申し訳ないという気持ちが自然に生まれます。

僕は忙しいときには、一日に3回ぐらい講演することがしばしばあります。「疲れませんか」とよく聞かれますが、まったく疲れません。同じようなテーマを続けて話す日もありますが、飽きるということもありません。

講演に来る人たちは各回まったく違う人たちです。しかもそこで出会うほとんどの人とは人生でもう二度と会うことがないと考えたら、自分の持っているすべてを出し切り、集中して、誠実に向き合って自分の考えを話そうという気持ちになるからです。

一期一会と思えば自ずと身体が引き締まり、あとは集中力が続くかどうかだけの問題です。僕は何の能力もない人間だと思いますが、人よりわずかに優れていると思うのが集中力なので、一日に3回ぐらい講演してもほとんど苦にはなりません。

一番の親孝行は「親に楽をさせない」こと

還暦世代の家族に関する大きな心配事の一つに、年老いた親の介護、いわゆる老老介護問題があります。

介護をどうすべきかについては、人類の歴史や先進国の経験からもう答えは出ています。介護や育児に関しては、やはり社会全体で面倒をみなければどうにもなりません。社会全体の問題と位置付けて、「個人や家族が面倒をみるべき」という考えを徐々に取り除いていかなければなりません。その意味で日本の介護保険制度は、世界に誇れる優れた仕組みだと思います。

ただ、介護に至る前の段階では、一番の親孝行は親に楽をさせないことです。ある医師から次のような話を聞いたことがあります。

「一番ボケるケースは、実のお嬢さんが『お父さんお母さんいままで苦労かけたね。あとは私が面倒をみるから何もしなくていいよ』といったとき。脳が安心してボケていくのです」

つまり、親にいつまでも心配をかける親不孝な子供が結果的には一番親孝行なのです。たとえば息子も娘も故郷から東京に行って、全然帰ってくる様子がない親は、子供を当てにせず自分で頑張るしかないと覚悟を決めて生活するから長生きして、寝たきりにもなりにくい。逆に実の娘が引き取ってくれて、三食昼寝付きの生活をしていたら、弱っていくに決まっています。

だから親に健康でいてもらおうと思ったら、楽をさせてはいけません。いくら長寿社会になったといっても、寝たきりでは意味がありません。長寿社会をエンジョイできるのも健康寿命が延びてこそで、前述したように健康寿命を延ばすには働き続けることが一番有効だというのが医者の答えです。定年を廃止して親にはどんどん働いてもらうべきです。

以前、子供を持つ母親の集まりのミーティングで次のような相談をされました。

「子供をおじいちゃんおばあちゃんに預けると、喜んでくれはするのですが『すごく疲れる』といわれます。あまり預けないほうがいいのでしょうか」

僕の答えは「もっと預けなさい」です。

「もっともっと子供を預けて疲れさせなさい。どんどん負荷を与えないと老いていきますよ」

年老いた親に対して一番の親孝行は、お父さんお母さんに合った適切な仕事を探すことです。ここでいう仕事とは職業的なものでもいいし、家事や育児でもいい。毎日、頭と手足を動かすように仕向けることです。一方、子供については18歳を超えたら家から追い出すのが一番です。それが動物としての本来のやり方です。

子孫に美田を遺さず、必要なら生前贈与を

また、還暦世代になると、子供への相続問題が視野に入ってくる人もいると思います。

子供は親とは別人格の存在で、親が持っているのは子供に名前をつける権利だけだと僕は思います。動物と同じように、人間も大人になったら親から離れ、一人で生きていくのが当たり前の姿です。親子の依存関係をいつまでも引きずったままでは、お互い楽しい人生はおくれないでしょう。

したがって、子供に遺すべきものなど何もありません。還暦くらいの年齢になると遺産相続を意識しはじめる時期かもしれませんが、財産を遺そうなどとは考えず、自分で稼いだお金は生きているうちに全部、自分のために使えばいいのです。

一方でこの30年間経済成長が滞った日本では、若い世代ほど貧しくなる傾向がありま す。もし自分には経済的な余裕があるが子供はそうではなく、子育ての費用で四苦八苦しているような状況ならどうするか。そのときは遺産として死後に遺すのではなく、どんどん生前贈与すればいいでしょう。

極論すれば、僕は配偶者の取り分を除いて相続税率を100%にする代わりに、贈与税を0%にすればいいと思っています。ただし、贈与税を0%にする際には条件をつけ、例えば贈与する相手は50歳以下に限定する。人生でお金がかかるのは子供を育てるときですから、自分の血がつながった子供でも他人の子供でも構わないので、子育て費用が必要な人にお金が回るようにするのです。

相続税率100％というのは、もし死後に財産が遺ったら政府を信じるので政府がお金を自由に使って下さいという考え方。贈与税率0％はその逆で、政府を信じない人は生きている間に贈与して、好きなようにお金を使って下さいという考え方です。

高齢者よりも若い子育て世代のほうがたくさん消費しますから、子育ての終わった還暦世代がお金を貯め込んでいるより、生前贈与したほうが日本経済の活性化にもまちがいなく貢献するでしょう。

「悔いなし貯金なし」、それでも経済的不安がない理由

僕自身はといえば「悔いなし貯金なし」がモットーです。やりたいことは思い立ったときにやる。そして、そのためにお金を使う。だから相続税の配偶者控除を超えるようなお金はおそらくいつまでたっても貯まらないと思います。

創業したライフネット生命を上場させたので上場益を得ているだろうと思われるかもしれませんが、ライフネット生命は資本金が非常に大きくとても個人で用意できる金額ではありません。スタート時の資本は132億円あまりでした。ですから、僕はほとんど株を持っていませんし、もちろん上場時には一円も受け取っていません。

そもそも生命保険や銀行は非常に公共性の高い事業であり、上場は信用を獲得するため

の行為です。したがって、ライフネット生命を上場することで個人として儲けることは考えるべきではないと思いました。ただ、これは免許事業特有の事情であって、ベンチャー創業者が上場益を得ることを否定するわけではありません。

あまり貯金がないというと「お金の不安はありませんか」と聞かれます。でも、普通に働けばある程度のお金は入ってくるし、働けなくなったら厚生年金保険があります。心配する必要はありません。

世の中にはお金の不安を持つ人がとても多いのは確かです。金融広報中央委員会の「家計の金融行動に関する世論調査」（二人以上世帯調査　２０１９年）によると、老後の生活について「非常に心配である」と「多少心配である」と回答した世帯の合計は81・2％である一方、「それほど心配していない」は18・3％でした。8割もの世帯が老後のお金を心配しているのです。

なぜお金の不安を持つのか。その理由の一つは定年があるからです。一定の年齢に達すると仕事がなくなると思っているから心配になるのです。もう一つは、社会保障が崩れると思っているからです。だから一所懸命貯蓄しなければ、という思考になるのです。

これと対極的なのが北欧の先進国の人々で、あまり貯金をせず自分のお金は生きている間に使います。定年がなく、社会保障がしっかりしているのがその理由です。

ところで、定年は別として、第一章で述べたように日本の社会保障制度は適用拡大という問題を残しつつも基本的にはよくできています。それでも多くの人がお金の不安を抱いているのは、不安をあおって儲けようとしている人たちがいるからです。その代表が金融機関です。不安があるからこそ、外貨建て年金のようなリスクの高い商品が売れるのです。

「いずれ公的年金保険は崩壊するのではないか？」

こういった疑問を持つ人は多いのですが、公的年金保険が崩壊することはありません。その理由は簡単で、公的年金保険の仕組みは要するに、市民から年金保険料を集めて要件を満たした市民に配っているだけだからです。これは税金を徴収し、必要な給付を行う政府の仕組みそのものです。

「支給開始年齢が引き上げられてしまう」

この不満もよく聞きます。しかし日本老年学会・日本老年医学会が今の75歳は昔の65歳と同じだと明らかにしているのですから、定年を廃止して年齢フリーで仕事ができるようにすれば、基準となる受給開始年齢を引き上げても何の問題もありません。

「自分が動けなくなり、介護状態になったらどうすればいいのか？」

これも働いて毎日頭と身体を使えば介護状態にならずに済みます。なかには働いて健康に気を遣っていても、介護状態になる人もいるでしょう。しかし、その場合は介護保険の範囲内でやり繰りすると割り切れば済む話です。

北欧などの先進国では、健康寿命が長く、高齢者も皆活動的です。北欧の老人ホームでは朝食の時間になったら起こされて、服を着替えて食堂に集まります。そして、みんなで朝食を食べている間に職員が入居者の部屋に鍵をかけ、締め出すと聞いたことがあります。もちろん、医師から安静の指示が出ている人は別にして。

部屋に鍵をかけられた入居者は、リビングで他の入居者と話をするか、施設の庭を散歩するか、街に出かけるか、いずれにせよ、常に行動しなければなりません。つまり、北欧の老人ホームでは頭も身体も使うので、元気なままでいられるというわけです。欧米には原則として寝たきり老人はいないのです。

人生100年時代は働いたほうが人生を楽しめる

一方で定年廃止、あるいは定年延長について「いつまで私たちを働かせるつもりか」と批判されることがあります。

これは批判の前提が間違っています。目的は高齢者を無理やり働かせることではなく、「人生100年時代は働いたほうが人生をエンジョイできる」ということが大前提であり、働きたくない人はいつでも自由にリタイアすればいいのです。

こうした批判が出てくるのは、好きではない仕事についている人が多い現実の裏返しかもしれません。しかし仕事は無理やりやらされるものではなく、好きなことをしてお金を稼ぎ、ご飯を食べていくのが基本です。言い方を変えれば人々が人生100年時代に幸福な生活をおくるために定年を廃止するのです。

定年廃止について的外れな批判が生じるのは、不勉強なメディアが「定年廃止は高齢者の虐待」のような伝え方をするからです。

改めて、定年廃止のロジックを整理しておきましょう。秦の始皇帝が不老不死の薬を探させたように、長寿社会は人類の理想です。ただし、いくら長生きできても寝たきりになっては意味がない。元気でなければ人間の理想社会とはいえません。だから健康寿命を延ばすことが極めて大切で、そのためには働くことが医学的に見て一番いいのです。

働くことは、規則正しい生活に直結します。雪が降ってもあられが降っても職場に行くので毎日1万歩くらいは歩きますし、いろいろな人と会話もします。働けば頭も体も使い、健康寿命を延ばします。もちろん収入も得られます。このように働くことは良いこと尽くめなので、定年を廃止しようというロジックなのです。

「高齢者をまだ働かせるのか」という批判の背景には、残業必須の長時間労働といった、従来の日本の伝統的な働き方のイメージが残っているのかもしれません。しかし、政府も働き方改革によって長時間労働の抑制と、それぞれの人の意向に応じた働き方ができるような方向に舵を切っています。その時点の意欲、体力、能力に応じて自由に働ける社会、働き方を自由に設計できる社会をつくっていくことが理想です。

長時間労働は愚の骨頂で、グローバルな企業で長時間労働をやっているところはどこにもありません。

成長著しいグローバル企業では年初に上司と部下が相談し、年俸を決定します。たとえば「今年は売上を1億円あげてもらいます。それに対して年俸は800万円払います」というように。

もし1ヵ月で約束の1億円の売上を達成したらどうなるか。あとは休んで好きにしていいのです。「休みはいらない、もっと働きたい」という人は、上司に「次の目標をくださ い」といえばいい。「さらに1億円の売上を確保したら、800万円追加でください」などと。

働き方は、グローバル基準に準じて改めていく必要があります。いつまでも「みんなが残っているから自分も残業する」といった働き方では世界に取り残されるばかりです。

「クオータ制」で女性の地位を引き上げよ

還暦後のお金の問題を考えるとき、ずっと専業主婦でやってきた女性は労働市場を離れてから長い時間が経過しており、改めて働くことへの不安が大きいかもしれません。仮面夫婦の期間が長く離婚したい気持ちはあるが、経済的には夫に頼っているので離婚に踏み切れない。そんな女性もいるでしょう。経済的な不安を抱えるよりも我慢して結婚生活を続けるか、経済的な不安はあっても自分の好きなように生きたいか、これはトレードオフの問題なのでどちらの気持ちが強いかによって決めるしかありません。

　ただ、もう少し大きな視点でこの問題を眺めると、男性と比べたときの女性の社会的地位の低さをなんとかしなければいけないと思います。厚生労働省の賃金構造基本統計調査によると、平成30年の男女間賃金格差は男性を100とすると女性は73・3と、まだ非常に大きな開きがあります。

　世界経済フォーラムが出している各国の男女格差を測るジェンダー・ギャップ指数（GGGI）でも、2019年の日本の順位

日本のGGGI推移　2006年〜2019年

年	調査国数	総合	
		ランク	指数
2019	153	121	0.652
2018	149	110	0.662
2017	144	114	0.657
2016	144	111	0.660
2015	145	101	0.670
2014	142	104	0.658
2013	136	105	0.650
2012	135	101	0.653
2011	135	98	0.651
2010	134	94	0.652
2009	134	101	0.645
2008	130	98	0.643
2007	128	91	0.645
2006	115	80	0.645

は153ヵ国中121位と非常に低い数字でした。

女性の地位を向上させるために必要な施策は、性分業のベースとなっている「配偶者控除」と「第3号被保険者」の廃止、それから「クオータ制」の実施です。クオータ制とは、たとえば議会における政治家や企業の経営者に、男女の比率に偏りが生じないように一定の割合を義務付ける制度です。ヨーロッパでは国政選挙で男女同数の候補者を立てないと政党交付金を減額する、役員に一定割合以上の女性がいないと上場を取り消す、などといった制度があり、ほとんどの国で実行されています。

クオータ制は男性に対する逆差別であり、能力のない女性をポストにつける制度だという頓珍漢な批判がありますが、これは男女差別が厳然として存在する社会で実施する過渡期の仕組みです。クオータ制を入れなければいつまでたっても女性の政治家や管理職は増えません。そうするとロールモデルが生まれないので、いつまでたっても女性の地位向上を実現できません。

女性の地位をクオータ制で無理にでも引き上げてより多くのロールモデルを提供できれば、周囲の女性も自分には無縁だととらえていたポジションや組織の課題を自分事としてとらえ直し、より能力を発揮するようになっていきます。身近にいる具体的なロールモデルの存在が有意義な目標設定を助け、その達成の励みとなるのです。

クオータ制を導入したヨーロッパはこの30年間、1500時間以下の労働時間で平均して2％の経済成長を達成する一方、クオータ制を導入していない日本は2000時間働いて1％成長どまりです。どちらが暮らしやすい社会かは明らかです。

また、ジェンダー・ギャップ指数の内容を詳しくみると、指数は経済、教育、健康、政治の4つの分野のデータから作成されていて、とくに日本の順位が低いのは政治分野で144位でした。女性の政治参加が進まない事実が、この低い順位に反映されています。世の中に住んでいるのは男性半分、女性半分です。政治家の基本的な役割は税金の使い道の決定ですが、それを男性だけで決めていいわけがありません。ヨーロッパのように政党が男女同数の候補者を揃えなければ政党交付金を減額するというのは、非常に合理的な考え方だと思います。

性別フリーで女性の地位を引き上げよ

賃金に典型的に表れている男女の待遇格差は、どうすれば改善するのでしょうか。

その参考になるのがグーグルです。先端的な人事の取り組みを行っているグーグルでは、人事部の必須データから国籍や性別、年齢、顔写真すべてをなくしています。つまり、こういった個人データを提出しなくても社員になれるのです。

グーグルはいま、その人がこれまでにどんな業績を上げ、キャリアを積み、現在はどんな仕事をやっているのか、そして将来の希望は何かだけで採用や異動を行っています。年齢も性別も関係なく、過去のキャリアと現在の仕事、将来何をしたいのかだけで判断するという考え方です。つまり年齢フリーに加えて性別フリーにすれば、自ずと男女格差はなくなっていきます。

グーグルのような先端的な取り組みは、実は社員をものすごく大切にするシステムであり、そのような自由でオープンな風土があるからこそ、グーグルは成長したのだと思います。

グーグルのオフィスでは働きやすいスペースが用意されているのはもちろん、カフェテリアで美味しいご飯が無料で食べられたり、従業員がリラックスして楽しめるようビリヤード台や卓球台が置かれたりしていることはよく知られています。実に働きやすそうで、オフィスに行くのがきっと楽しくなることでしょう。

オフィスに行くのが楽しければ、人は勝手に働きます。ワクワクドキドキしたら、人間は頑張るようになるものです。旧来的な日本企業のように「今日もあのわけのわからない上司に怒鳴られるのか。でも子供を育てるためには働くしかないよな……」と暗い気持ちで出社しても、いいアイデアが生まれてくるはずがありません。

「日本の企業は人を大切にする。欧米企業は人を大切にしない」といわれることもあるようですが、本当は真逆だと思います。人を大切にして合理的・科学的なマネジメントをしていれば、経済は成長するはずです。しかし実際には日本の労働者は2000時間も働いているのに1％しか経済成長していません。この数字はマネジメントの劣化を示す以外の何物でもありません。わが国は、骨折り損のくたびれ儲けの社会構造になっているのです。

すなわち、日本の大きな問題点の一つは、マネジメントがなっていない点にあるのは明らかで、日本的な経営が優れているという人には「何を寝言をいっているのだ」というほかありません。日本的な経営が優れているのならなぜこの30年間、日本は経済が低迷したのかと。なぜ長時間働いても成長率が低いのかと問うべきです。

日本的経営が優れていると思っている人は、おそらく30年くらい前までの成功体験が抜け切れていないのでしょう。日本の高度成長時代は9％もの経済成長を実現していました。この時代を牽引したのは製造業で、工場モデルがうまく機能した時代でした。

工場モデルのマネジメントは画一的な仕事が大半なので、「黙って俺についてこい」で大丈夫でした。工場は24時間操業が理想ですから、筋力の強い男性の長時間労働が適していました。だから、「男は仕事、女は家庭」という性分業を推進したのです。その背景には、明治維新時に導入した科学に基づく家父長制がありました。しかし平成が終わり令和の時代に入った今も、日本は製造業の工場モデルに固執し続けて、国際的な競争力を失っています。

世界のトップ企業たるＧＡＦＡやユニコーンでは、自分の頭で考え、新しいアイデアを創造することが大切な「頭を使う仕事」が中心です。世界はとっくの昔にパラダイムシフトしているのに、日本だけが製造業の工場モデルに固執し続ければ、競争力を失い世界に置いていかれるのは当然です。

日本は社会全体が製造業の工場モデルに過剰適応してしまい、高度成長時代の成功体験をいまだに引きずっています。とくに世代が上のほうの人たち、還暦前後の世代の人たちは工場モデルに染まったままの可能性が高い。当然、そこからは早く脱却していかなければなりません。

経済メディアのNewsPicksは２０１８年6月に「さよなら、おっさん。」というコピーの全面広告を日本経済新聞に出稿し、大きな話題となりました。ここでいうおっさんとは、いわゆるおじさん一般を指しているのではありません。どのような意味のメッセージか、同社のウェブサイトに掲載されている説明を引用しておきましょう。

ここでいう「おっさん」とは年齢のことではありません。マインドセットや価値観のことです。

古い価値観やシステムに拘泥し、新しい変化を受け入れない。

自分の利害のことばかり考え、未来のことを真剣に考えない。

フェアネスへの意識が弱く、弱い立場にある人に対し威張る。

そうした「おっさん的価値観」が牛耳る日本社会、日本経済と決別しようというメッセージこそが、「さよなら、おっさん。」なのです。


（佐々木紀彦「『さよなら、おっさん。』に込めた思い」NewsPicks）

本当に、１００％その通りだと思います。

経済界トップが失敗と総括した平成の30年

一方で、経済同友会の小林喜光代表幹事は『文藝春秋』の手記でこう述べています。

平成の三十年間を振り返ると、日本にとっては「敗北の時代」だったと言えます。私がさまざまな場面で「敗北」と明言すると、周りは大騒ぎになるのですが、これは紛れもない事実であり、真摯に受け止めなければ日本の再起はあり得ません。

（小林喜光「日本経済　平成は〈敗北〉の時代だった」『文藝春秋』２０１９年４月号）

経済団体の要人からも、このようなリアルに現実を直視した発言が出てきています。過去の日本の成功体験の恩恵を受けてきた人ほど、リセットが必要です。還暦はマラソンの折り返し点であり、リセットを行ういいタイミングになるのではないでしょうか。

高度成長時代の製造業の工場モデルに決別するような変化の芽は、さまざまなところから出てくるようになりました。

なかでも注目すべき変化は、平成時代に多くの短大が消えたことです。「令和元年度学校基本調査」の結果の概要によると、短期大学の学生数は平成５年度に過去最高になったあと減少し続け、平成以降で過去最低を更新しました。その一方で、４年制大学を卒業した女性が大量に労働市場へ供給されるようになっています。

１９８０年代の女性の４年制大学への進学率はおよそ12～15％、男性は34～40％でした。しかし１９９０年代以降になって男女差が大幅に縮まるようになり、最近の調査では女性の４年制大学への進学率は50％を超えるようになりました。

この結果、平成の30年間で数百万人単位の４年制大学卒の女性が労働市場に供給されました。この新しい数百万人単位の軍団はかつての団塊世代のようなもので、あと数年もすると年齢的にも、彼女たちが社会のさまざまな場所でオペレーションの中心を担っていくでしょう。そうなると日本は「さよなら、おっさん。」を実現し、よりよい社会になっていく可能性が高いと思います。

「自己投資」で自分にできることを増やす

世の中でこのような大きな変化が起きているのですから、個人としてもこれまでの経験の蓄積に頼らず、新しい物事を勉強し、チャレンジしていくことが大切になってきます。すなわち、「人・本・旅」による自己投資が非常に重要で、還暦からのお金の使い方としても適切だと思います。何しろ、マラソンのコースはまだ半分残っているのですから。

自分に投資をして、自分にできることが増えれば増えるほど仕事のチャンスも増え、自分のコンテンツも豊かになります。たとえばショップで働いている人が中国語を学んである程度話せるようになれば、中国からやってくる客への対応ができるようになり、中国のお客さんから喜ばれ、お店にとってなくてはならない人になり、給与も上がることでしょう。あるいは僕の友人のように、料理を学んで友人に美味しい料理を振る舞えるようになれば、みんなの人気者になれるでしょう。
いくつになっても、自分の価値を高めていくのはとても楽しいことです。では、どのように自己投資をしていくのがいいのか、第三章で考えていきましょう。

【参考文献・資料】

出口治明『直球勝負の会社』ダイヤモンド社
出口治明『働く君に伝えたい「お金」の教養』ポプラ社
金融広報中央委員会「家計の金融行動に関する世論調査」［二人以上世帯調査］（２０１９年）
https://www.shiruporuto.jp/public/data/movie/yoron/futari/2019/pdf/yoronf19.pdf
厚生労働省「平成30年賃金構造基本統計調査　結果の概況」
https://www.mhlw.go.jp/toukei/itiran/roudou/chingin/kouzou/z2018/index.html
世界経済フォーラム「ジェンダー・ギャップ指数２０２０」
http://www3.weforum.org/docs/WEF_GGGR_2020.pdf
出口治明「クオータ制を支持する理由　身近な人の苦闘に学ぶ」日本経済新聞２０１８年5月14日
https://www.nikkei.com/article/DGKKZO30367400R10C18A5TY5000/
佐々木紀彦「『さよなら、おっさん。』に込めた思い」NewsPicks
https://newspicks.com/news/3125520/body/
小林喜光「日本経済　平成は〈敗北〉の時代だった」『文藝春秋』２０１９年4月号

文部科学省「学校基本調査―令和元年度結果の概要―」
http://www.mext.go.jp/b_menu/toukei/chousa01/kihon/kekka/k_detail/1419591.htm
ビル・エモット「平成の終わりに（6）〈嘆かわしい20年〉に決別を（経済教室）」日本経済新聞2019年1月11日
NHK生活情報ブログ　女の子だから？　大学進学も…
https://www.nhk.or.jp/seikatsu-blog/200/300/306422.html
内閣府男女共同参画局『男女共同参画白書 平成30年版』
http://www.gender.go.jp/about_danjo/whitepaper/h30/zentai/index.html

第三章　自分への投資と、学び続けるということ

80歳でもチアリーダーになれる、DJになれる

「老後にいくら必要か」というお金の心配をあれこれするよりも、自己投資にお金を使い、自分ができることを増やして豊かな生活を送るほうがずっと大切だと思います。

還暦であろうがなかろうが、いくつになっても、自分に投資をして自分ができることを増やしていけば、人生の選択肢が増えます。何かを始めるのに遅いということはありません。年齢フリーで考えるべきです。

1932年生まれで63歳のときにシニアダンスチームを設立し、80歳を超えた現在もチアリーダーとして活躍している滝野文恵さんという女性がいます。滝野さんは62歳のとき、米国には平均年齢74歳のチアリーダーグループがあると知り、そこからチアリーディングを始めたそうです。

1935年生まれの岩室純子(すみこ)さんは、中華料理店を営みながら、夜はクラブイベントのDJ「SUMIROCK」として活躍し、「最高齢のプロフェッショナル・クラブDJ」としてギネス世界記録に認定されました。認定時の年齢は83歳と113日。友人にDJをやってみないかと誘われて、面白そうだとDJ学校に通い始めたのは77歳のときでした。

こうした人たちの活躍は、年齢に関係なく自分にとって面白いこと、楽しいことにチャ

レンジすることが自分を元気にするという事実を示していると思います。やはり人間は自分の好きなことを好きなようにやるのが健康にも一番いいのです。

年齢を重ねていくと「もう年だからできない……」と、いろいろなことをあきらめて出不精になりがちです。でも、できないのは年齢のせいではなく、そうした思い込みが原因です。みなさんの心がみなさんの行動にストップをかけているのです。

僕の好きな紀行作家の一人にイザベラ・バードがいます。1831年に連合王国（イギリス）で生まれた彼女は病弱でしたが、北米で転地療養したことがきっかけで、世界中を旅するようになります。

19世紀に世界中を旅した紀行作家、イザベラ・バード

日本には1878年、元号でいえば明治11年にやってきて、内陸ルートで北海道まで行ってアイヌの村落を調査したり、関西まで旅をしたりした記録が『イザベラ・バードの日本紀行』上下巻としてまとめられています。明治初期の交通インフラが整っていない不便な時代に、身体の弱い外国人女性が奥地まで足

を運んでいることに驚かされます。

イザベラ・バードの著作のなかでも圧巻なのは『中国奥地紀行』です。九寨溝や黄龍のような、いまでも行くだけで大変なところにまで足を運んでいます。彼女が中国を旅行したのは1895年から翌年にかけて。つまり、還暦を超えてから清朝時代の中国をかなりの奥地まで旅しているのです。

イザベラ・バードは身体が弱かったのに、明治や清の時代に世界中を旅行して歩きました。還暦を超えていようがいまいが、やろうと思えば何でもできるという好例です。まして現代は非常に便利な時代です。できないのは「できるわけがない」という自分の思い込みが、自分の行動に制約をかけているからです。

東京の神保町に「未来食堂」という定食屋さんがあります。ITエンジニアの経歴を持つ小林せかいさんが一人で開業したカウンター12席の定食屋で、一度お店に来た人なら50分のお手伝いで一食無料になる「まかない」という仕組みをつくり、まかない客である「まかないさん」と一緒にお店を回したり、余った食材は翌日の小鉢の材料や18時以降、食材を選んでオーダーメードできる「あつらえ」として提供することで食材ロスをほとんどゼロにしたりと、とてもユニークな取り組みをしているお店です。

それらが評価されて、小林さんは『日経WOMAN』の「ウーマン・オブ・ザ・イヤー

２０１７　食ビジネス革新賞」を受賞しました。この受賞スピーチで、小林さんはこう語っています。

環境が、あなたの行動にブレーキをかけるのではありません。
あなたの行動にブレーキをかけるのは、ただ一つ、あなたの心だけなのです。
（小林せかい「日経ウーマン・オブ・ザ・イヤーを受賞しました（受賞スピーチ全文）」未来食堂日記）

「昔取った杵柄」と、新たな物事への「没入」

何に自己投資すべきかといえば、基本的には何でも好きなことをやればいいと思います。自動車の運転が好きな人であれば、いまなり手がいなくて困っているタクシーの運転手をやってみるのもいいかもしれません。自分の好きなことで、しかも世の中の需要も大きいのですから。

別のアプローチもあります。偶然の出会いに任せることで、もしかすると自分の好きなことではない、無縁の分野と思っていた世界に新たな道が開けるかもしれません。

定年前はメーカーに勤務していた、文化的な教養とはまったく無縁のように見えた僕の友人がいます。彼は友達に誘われて短歌の会に参加したところ、すっかり短歌に魅了されてしまいました。いまではその短歌の会が出している機関誌の編集長を務め、「サラリーマン時代よりも忙しい」と嬉しそうに活動しています。

これはまさに適応の好例で、誰かに短歌の会に誘われたことが彼の前に現れた運でした。そして短歌の会に行くことで僕の友人は短歌にハマり、見事に適応したのです。過剰適応気味かもしれませんが、彼は新しい人生をすっかりエンジョイしています。

だから大切なのは「人・本・旅」で、たくさんの人に会う、たくさん本を読む、たくさんいろいろな現場へ出かけていき、たくさんの出会いをつくることです。すると、その中から運と適応により、思いがけない世界が広がるかもしれません。

還暦後の生活をエンジョイしている友人を見ていると、昔やっていたことに再チャレンジする人と、それまで無縁だったことにハマる人の両方がいるようです。前者は、たとえば昔陸上競技をやっていた人がシニア陸上で世界記録をつくるようなパターン。いわば昔取った杵柄です。後者は短歌の会の編集長になった、僕の友人のようなパターン。こちらは免疫がなかったがゆえに、新しい世界に一気に没入したパターンといってもいいかもしれません。こういうことが起きるから人生は面白いのです。

そう考えると「やったことがない」「行ったことがない」と未知の物事に門戸を閉ざす

のではなく、やはり来るものは拒まず、去るものは追わず、で川の流れに自然体で流されて生きていくのが一番いいと思うのです。

英語で一番難しいのは日常会話

自己投資で学ぶというと「英語」や「中国語」が頭に思い浮かぶ人も多いでしょう。好むと好まざるとにかかわらずグローバルに活躍しようと思ったら、英語を勉強しないという選択肢はありません。ビジネスパーソンはなぜ堅苦しいスーツを着なければならないのか、なぜ窮屈なネクタイをしなければならないのかという話と一緒です。あんなローマの兵隊の遺風を21世紀になっても守らなければいけないのは、それがデファクトスタンダードになってしまったからです。

英語もスーツやネクタイと一緒。スタンダードになってしまったわけですから仕方がないとあきらめて、勉強するしかありません。

僕自身は、正直英語は苦手です。我ながら言語に対するセンスがまったくないと思っていやになります。日本生命時代にロンドンで3年間働いていましたが、それでも仕事ができたのは日常会話に比べればビジネス英語ははるかにやさしかったからです。

ロンドンでやっていた仕事はシンプルに述べれば金貸し業です。3年間でおよそ

2000億円を貸し出しました。相手はソブリン、つまり政府や市役所といった公共団体が中心です。

こちらはお金を貸したい、向こうはお金を借りたい。だから話の内容は今年の予算がいくらで、お金がどのくらい足りなくて、どんな条件なら借りたいのかといった話になります。非常に限定された内容で済むので、ビジネス英語は楽なのです。しかもこちらは貸す側、相手は借りる側です。日本人は英語が下手だと相手も十分わかっているので若干の忖度をしてくれます。

逆に英語での日常会話が難しいのは、何が会話のテーマになるかわからないからです。ロンドンでクリスマスに友人の家に誘われたことがあります。いざ訪問してみたら集まっているのは近所の人ばかり。なにを話しているのか耳を傾けてみると、どうやらクリケットのことを話しているらしい。でもその地区のクリケットのチームや選手のことなど何一つ知識がありませんし、そもそもルールすらよくわからない。つまり、背景となる知識や文脈までが必要になるので、日常会話は非常に難しいのです。

旅行英語はとても簡単です。ここはよく錯覚しがちなところですが、旅行ではほとんど言葉を使わないからです。

英会話の教本では、「パリまでの往復切符を二等列車で二枚下さい」といったような例文がよく出てきます。でも、私たちは東京駅でそんなふうに話しているでしょうか。「京都往復、普通、二枚」で終わりでしょう。お土産を買うときは「これください」と指を指せばいいし、レストランでは、だいたいお店の方が注文してほしいものを親切に説明してくれます。

英語ができないから旅をできないというのは、まったくの思い違いです。旅行は基本的には旅行をしている人が現地にお金を落とす営為なので、地元の人は十分忖度してくれます。

したがって、ビジネスや旅行に関しての英語はそれほど恐れるに足らずですが、やはり日常会話で英語が必要な人はしっかり勉強するしかありません。

成果の出る学習の秘訣は「仕組みづくり」

「有効な英語の勉強方法はありますか」「楽に学べる方法はありませんか」などと時折質問されますが、そんなものがあるわけがありません。どんな分野の勉強でもある程度の時間をかけて、一所懸命取り組む以外の方法はないのです。

もちろん学習のコツのようなものは若干あるでしょうが、大した効果はありません。それよりも毎日2時間などと時間を決めて、英語の読み書き、ヒアリング、スピーキングを一所懸命継続することです。そうすればやがて、英語をマスターできるはずです。

結局、どんな勉強もかけた時間がものをいいます。大事なことは継続です。したがって、自分のやる気を継続させるインセンティブを上手に与え続けることが大切です。英語にせよ他の勉強にせよ、よくできる人は、自分をごまかしてやる気にさせる仕掛けづくりが大変上手です。

僕の母校である三重県の上野高校で、現役で5年ぶりに東大に合格した後輩がいます。彼の勉強方法を尋ねてみたら、やはりとても合理的でした。

後輩曰く、いろいろ本を読んで調べてみると、集中して脳を使うのは2時間くらいが限界。だから高校に入学した時に毎日2時間勉強することを決めた。ではどの時間帯が集中できるかというと、自分は晩ご飯を食べてから1時間くらいたたないとエンジンがかからない。だから夜7時頃にご飯を食べ終えて、1時間ほどテレビを見たり音楽を聴いたりして過ごし、8時から10時までは集中して勉強するように決めた。そして自分の苦手な分野から順番に毎日2時間ずつ勉強していったら、東大に合格できた――。

要は夜8時から10時まで集中して勉強するのが一番効率がいいと自分に言い聞かせ、そういうルールをつくることで自分を追い込んでいったのです。勉強ができる人はこのように、仕掛けづくりが非常にうまい。逆に成績がなかなか伸びないと悩んでいる人は仕掛けづくりが下手で、実は机に向かっていても勉強に集中できていなかったりするのです。

仕掛けづくりの重要性は、受験生でも還暦からでも、年齢に関わりなく大切です。

僕の大学時代のクラスメイトで、いま、京都大学の大学院で聴講生として中国語を学んでいる友人がいます。

「大学院なので先生1人に対して、学生は3人しかいない。俺は聴講生だけれど3人では授業が回らないので、学生と同じように『ここまで訳しなさい』と自分にも順番が回ってくるので予習がとてもしんどい。受験勉強より辛い」

そういいながら、けっこう楽しんでやっています。聴講生として入って、途中で投げ出したらやはり格好が悪い。だから意地でも続ける。これも学習を継続する上手な仕組みの一つです。

「物事の見方」をどう磨くか

どんな分野を学習するにせよ、基本的な物事の見方が重要になるのはいうまでもありません。

人間の考えは「人・本・旅」の累積が形作ります。いろいろな人に会って話を聞く。いろいろな本を読む。いろいろな場所へ行って刺激を受ける。そうやってインプットした個々の知識を、「タテヨコ算数」で整理して、全体像をつかんでいくことが大切です。「タテ」とは時間軸、歴史軸のこと。「ヨコ」は空間軸、世界軸。算数はデータでものごとをとらえる、ということです。数字、ファクト、ロジックと言い換えることもできます。

なぜタテヨコが重要かといえば、私たちの住んでいる宇宙の構造がそうなっているからです。宇宙は時間と空間が一体となった器である、という当たり前のことがわかっていれば、時間軸と空間軸で物事を見る重要性が理解できるでしょう。

「昔のことを勉強しても役に立たない」という人もいますが、人間の脳は1万年以上進化していません。昔の人も現代に生きる人も喜怒哀楽や判断は同じ。そこにタテの歴史軸で物事を見ることの重要性の根拠があります。また、人間はホモ・サピエンスという単一種なので、同時代で自分とは異なる環境にいる人たちはどう考えているか、ヨコの世界軸を知ることも重要です。

もう一つの算数は、別の言い方をすると「エピソードよりエビデンス」ということになります。エピソードだけでは自分の見たいように世界を見てしまいますが、エビデンスとなる数字やデータで世界をとらえれば、世界の全体像をより正確に認識できます。これはあらゆるサイエンスの大前提です。

僕は「リアリズムが何よりも重要である」と常々いっているのですが、これはタテヨコ算数の話と一緒です。要するにエビデンスたり得る「数字」と「ファクト（事実）」を拠り所とした「ロジック（論理）」を積み上げていくことが重要で、確たる根拠のない社会常識を前提に自らに都合のいいロジックを展開してはいけないということです。

リアリズムのない思考とはどういうものか。たとえば、ヨーロッパのデパートで買い物をすると、店員さんはニコリともしないしきちんと包装もしてくれず、ただ「はい」といって商品を渡してくれるだけ。それに比べると日本のデパートの店員さんは愛想があるし、痒い所に手が届くように親切だし、きれいに包装して商品を渡してくれる。だから日本人は素晴らしいといった言説です。でも、これは一つのエピソードを語っているに過ぎません。

リアリズムで、エビデンスに基づいて眺めてみると、ヨーロッパは1500時間働いて2％成長しているのに対して日本は2000時間働いて1％しか成長していません。

このエピソードとエビデンスを結び付けて論理的に考えていくと、日本人の店員さんは優れた仕事をしているのにマネタイズができていない、あるいはマネジメントがなっていないので優れた仕事を生産性の向上に結び付けることができていないということがわかります。マネジメントの不在がデパートの店員さんに骨折り損のくたびれ儲けを強いていて、それを延々と続けていけばだんだん働く人は疲弊していくしかない。そんな現状と将来の姿までが見えてくるのではないでしょうか。

新しい世界に入るには先達に教えを乞い、関係法規を学ぶ

僕は大企業で働き、ベンチャー企業を立ち上げ、いまは大学の学長をしています。それぞれ異なる種類の仕事ができたのは、タテヨコ算数でものごとを見ていたからだと思います。

新しいことを学ぶにはその道の専門家に会い、やり方や知識を教えてもらうことも大切です。

僕がAPUの学長に就任するとき、最初に勉強したのは教育関係の法令を読むことでした。なぜ法律を勉強するのか。

保険会社の経営では保険業法や保険法、金融商品取引法などの金融関係の法律を理解する必要があります。そこには保険会社が何をなすべきかという理念や、何をしてはいけないかというルールが記されているからです。

大学については教育基本法や学校教育法、大学設置基準といった法令に、高等教育の在り方や役割が書かれています。その世界の理念やルール、考え方を知りたければまず法律から勉強すべき理由がそこにあります。

このアプローチを教えてくれたのは、ＪＲ東海社長を経てＮＨＫ会長を務められた松本正之さんです。松本さんは僕と同じ三重県出身で、三重県人会でお会いしたときに次のような話をうかがいました。

「ＪＲ東海は国土交通省の所管で、鉄道に関する法律は全部知っています。しかしＮＨＫは総務省に監督されている、放送という鉄道とはまったく違う世界。日本は法治国家なので、これから行く産業を規制している法律をきちんと読み込まなければ、その本質がわかりません。だからＮＨＫ会長になると決まったとき、最初に放送業界の基本である電波法や放送法を読み込んで、放送界やＮＨＫがどういう理念と精神でつくられているかを自分なりに整理しました」

松本さんのお話は非常に合理的で、僕は感銘を受けました。それでこれまで一度も見たことがなかった教育基本法や学校教育法を読んでみようと考えたのです。確かに読み込んでみると、こういう考えのもとに大学はつくられていて、こういう目的のもとに教育関係の法律はできているのだと大枠が理解できました。

どんな世界にしても経験のない新しい世界に入って行くのなら、まずはその世界のことを知らなければなりません。郷に入っては郷に従え、ローマに行ったらローマ人に従えという当たり前の話で、新しい世界を知るには関係法令を勉強してその立て付けを把握することが大切です。

また、関係する法令の勉強に加え、APU学長就任にあたっては大学の総長や学長を務めている方数人にお会いして「今度、学長に就任するのですがどうしたらいいでしょうか」と話を聞いて回りました。

なぜ実業界から教育分野へ転身したか

僕が大分県別府市のAPUで働き始めたのは2018年1月からです。とはいえ、自分で生命保険の分野から教育分野への転身を希望したわけではありません。ライフネット生命の創業時と同様、ここでも運が大きく絡んでいました。

僕がライフネット生命の会長を退任したちょうどその頃、APUでは日本で初めての学長国際公募を行っていて、僕が104名の候補者の中の一人として推挙されていると人材紹介会社の人から知らされたのは2017年の9月の中頃でした。直接会って話を聞くと、条件はドクター（博士号保持者）であること、英語に堪能であること、大学の管理職の経験があることなどでした。僕はどれにもあてはまらないので、選ばれるはずがありません。

家に帰って家族にこんな話があったよと伝えると、「国際公募だから、幅広い人たちから人選したと格好つけたいんでしょう。枯れ木も山の賑わいでしょう」といわれ、さすがに家族はうまいことをいうなと妙に納得しました。

そして、受かる可能性がゼロなら面白そうだからインタビューは受けてみようと思ったのがすべてのスタートです。そして2回インタビューを受けました。東京と別府で。忘れていた頃に、人材紹介会社から「ホテルで朝食でも」とお誘いがありました。

「2回インタビューを受けていただきましたが、立派な方に決まりました。今回はお手数をおかけしました」というあいさつだろう。そう思って私服でぶらっと出かけたところ、なぜかレストランの個室に連れていかれました。

ドアを開けると室内には選考委員長がいて、「満場一致で決まりましたので、ぜひ受けてください。よろしくお願いします」といわれました。僕が驚愕していると、追い打ちをかけるように「2人スタッフを紹介します。彼が出口さんの秘書、彼女が広報担当になります。今日からこの2人が出口さんの面倒をみます。学長就任記者会見は10日後です」と告げられ、これは話を受ける以外の選択肢はないと直観で覚悟を決めました。逃げられない以上は早くあきらめて、後は必死で頑張るしかありません。

人生は川のように流れていきます。今回はたまたまAPUに流れついたので、流れついた以上はあきらめて、精一杯力を尽くしてみようと思った次第です。

APUでの実践

APUは2000年4月に開学した、大分県別府市に立地する私立大学です。アジア太平洋学部と国際経営学部の2学部があります。今年（2020年）で開学20年、成人式を迎えるまだ若い学校です。

別府湾を見下ろす山頂に位置するAPUに僕がはじめて訪れたのは、学長公募の2回目のインタビューのときでした。到着してまず驚かされたのは、留学生の多さです。約6000人いる学生のうち留学生がおよそ半分を占めるので、3000人もいます。留学生の出身国・地域数も92ヵ国・地域にのぼります。情報としては知っていましたが、いざ目の前の光景としてみると、その「若者の国連」「小さな地球」ぶりに圧倒されました。

学長候補者選考委員会のメンバーは10人で、選考委員長の副学長のほか大学の先生方が5人、職員が2人、卒業生が2人という構成で、10人中4人が外国籍、3人が女性でした。ダイバーシティが進んでいるのも印象的でした。大企業の指名・報酬委員会と比べてもまったく遜色がありません。

APUが目指す将来像は、すでに是永駿（これながしゅん）前学長が「APU2030ビジョン」として策定されていました。それは「APUは世界に誇れるグローバル・ラーニング・コミュニティを構築し、そこで学んだ人たちが世界を変える」。つまり、APUで学んだ卒業生が、世界に散らばってそれぞれの持ち場を見つけ、APUで学んだことを活かしながら自ら考えて行動し、世界を変えるチェンジメーカーとなるというものです。APUの4代目学長としての僕の役割はこの志の高いビジョンに向かって、どのような道順で進んでいくのか、どのようにマイルストーンを置いていくかということです。

そこで2018年4月から、3人の副学長を責任者とする3つの学長直轄プロジェクトをスタートさせました。将来構想検討委員会、英語教育改革検討委員会、海外派遣改革検討委員会の3つです。

一つ目の将来構想検討委員会とは2020年の開学20周年を目指した大改革の一つで、アジア太平洋学部と国際経営学部に続く第3の学部をつくることを目指し、ワーキンググループをつくって検討を始めました。新たな設置を目指しているのは持続的な地域開発や観光について学べる学部です。

何か新しいものをつくるとき、僕には一つの基準があります。それは「天の時、地の利、人の和」です。検討中の新学部はこの3つの条件を満たしています。

いま、政府も九州も大分県も、全て地域おこしには「インバウンドが重要である」といっています。これはまさに「天の時」がきているということです。

次に、観光という観点からするとＡＰＵが立地する別府はまさに「地の利」そのものです。別府はわが国有数の著名な温泉保養地であり、しかもＡＰＵが立地する山の近隣には自衛隊の演習場ぐらいしかなかったのですが、ＡＰＵから車で10分ほどの所に世界的に有名なインターコンチネンタルブランドのリゾートホテル「ＡＮＡインターコンチネンタル別府リゾート＆スパ」が２０１９年に開業しました。これほどの地の利はありません。

そこでインターコンチネンタルホテルのトップと会談を重ね、連携協定を結ぶ方向で協議を進めています。具体的には世界のインターコンチネンタルから講師を派遣してもらう一方、ＡＰＵの学生がインターンとして働きながらホテルで実地に学び、それを単位認定すること等を想定しています。学生は大学のキャンパス内だけで学ぶのではなく、広い世界でも学ぶのです。

最後の「人の和」とは、世界のおよそ92もの国や地域からやって来てＡＰＵで学んでいる学生たちの存在です。ＡＰＵはとくにアジア出身の学生が多く、彼らの母国は国づくりに邁進している最中です。そのなかで観光やインバウンドは、日本と同様に大きなチャレンジとなっています。ベトナムやタイ、カンボジア、インドネシアなどでは世界中から人々を呼び込もうとして、どんどんリゾートを開発しています。

世界の多くの国がインバウンドに興味を持ち、インバウンドが世界的な潮流となっているなかで、ＡＰＵは最もダイバーシティに富んだ大学であり、まさに私たちには「人の和」があるといえるでしょう。

また、環境省は民間企業・団体と協力して国立公園の魅力を発信し利用者の拡大をはかる「国立公園オフィシャルパートナーシッププログラム」を推進しています。ＡＰＵは大学としてはじめて「国立公園オフィシャルパートナー」に参画したほか、アジア太平洋学部が国連世界観光機関（ＵＮＷＴＯ）の観光教育機関向けの認証制度「UNWTO.TedQual(Tourism Education Quality)」の認証を取得しました。国内2校目、私立大学では初の取得です。

これだけの好条件がそろっているのですから、持続的な地域開発や観光がシステムデザイン的に学べる学部を設置しない手はありません。発足の時期は文科省の認可次第なので明確にはできませんが、数年以内を目途にスタートできるよう検討を進めています。

学長直轄プロジェクトの二つ目、英語教育改革検討委員会は、「日本人は英語力が低い」といわれるなか、どうすればもっと学生の英語力を伸ばせるのかを検討し、徹底的に英語力を鍛えていくプロジェクトです。たとえば英語の成績が芳しくない学生には、授業外の英語学習支援や夏期集中講座などを設けて、一つ一つ着実に実行しています。

三つ目の海外派遣改革検討委員会は、２０２３年までに日本人学生全員に海外経験を積ませるプロジェクトです。全員が長期留学するところまでは無理かもしれませんが、やはり日本人学生には全員、海外での生活を経験してほしいと思っています。

ＡＰＵの教育環境は素晴らしいのですが、ずっと同じ環境にこもっているのはもったいない話です。せっかくＡＰＵで様々な国や地域の友人ができるのですから、友達の家を訪ねていく感覚で海外へ行けばいいと思います。２０１９年4月からは、将来構想検討委員会を続行させた他、授業の質高度化検討委員会を設け、どうすれば学生の満足する授業が実現できるかについて専門的な検討を進めています。

大学に「起業部」を創設した理由

一方、別府のＡＰＵに赴任してからは、まず人に会わないと大学のことがわからないということで、「執務室のドアは常に開いているからいつでも誰でも来ていいですよ」という話を伝えていたところ、最初の1年間で２００組近くの学生が訪ねてくれました。２年目は３００～４００組のペースで学生が遊びに来てくれます。ちなみに執務室には学生の保護者や地元市民、ＡＰＵの教職員も相談に訪れてくれます。

学生たちは何を目的にやってくるかというと、多いのは留学相談や休学相談、卒業後の進路相談です。これらは十分想定がつきましたが、予想外に多かったのが「起業相談」でした。全体の2割くらいは起業に関する相談でした。

　これだけ学生の起業意欲が高いのであれば、大学が応援するのが責務です。そこで2018年7月に「APU起業部」を創設しました。

　起業部ではまず入部を希望する学生に起業プランを提出させます。そのなかから実際に起業の見込みがあるものを選択し、指導していきます。応募総数は71組90名で、そこから32組46名を第1期生として選ぶ一方、有志の教職員7名をそれぞれの組にメンターとして割り振りました。

　僕は起業でもっとも大切なのはロールモデルの存在だと考えています。「スティーブ・ジョブズを見よ」「孫正義に学べ」といったところで、特別な存在すぎて学生の役には立ちません。そうではなく、実際に役に立つのはすぐ隣にいるお兄さんお姉さんなのです。そこでAPUの卒業生で起業している人にも協力してもらい、学生に話をしてもらったり相談に乗ってもらう仕組みにしました。

　要するに、見込みのある起業プランに対し、教職員や卒業生の起業家にハンズオンで個別指導してもらい、学生たちを引っ張り上げていくのが起業部の役割です。

　創設から1年の段階で、晴れて4組が起業を達成しました。一つはバングラデシュ出身の学生が代表を務める革製品の製造・販売事業です。

バングラデシュはイスラム圏のため豚を食べず、肉は主に牛を食べます。ところが牛の皮は川やごみ処理場に廃棄され、悪臭や水質汚染などの環境問題を起こす原因になっているそうです。

そこで膨大に捨てられている牛の皮を革製品に加工して販売しようというのが彼らの事業です。すでにバングラデシュの女性たちがつくった財布やペンケースが商品化され、ＡＰＵの生協で販売されています。この事業は、商品生産と販売を通じて現地の女性たちの地位向上や、子供たちの識字率向上をも目指していて、日本で商品が一つ売れたら、一冊の本がバングラデシュの子供たちに贈られます。

他にも尾道出身の学生たちが地元尾道で国産アーモンドの生産、商品開発で地域の活性化を目指して起業したり、スリランカ出身の学生が卒業と同時に別府市内でスリランカ料理のレストランをオープンさせたりなど、着実に成果が出ています。

起業活動を大学の単位として認めるのは難しいので、課外活動として取り組んでいます。大学における学びの主体は学生であり、学生がやりたい、勉強したいことを応援していくことが大学と教職員の役割だと考えています。

起業はすべて小さな一歩からスタートするので、ＡＰＵでは学生たちの一歩を継続的に応援していきます。２０１９年７月には、11ヵ国・地域出身の30組43名が、ＡＰＵ起業部第2期生として活動をスタートさせました。

起業部の活動資金については、クラウドファンディングで一般の方々から寄付を募りました。「APU起業部応援団」の名前で200万円をターゲットとして募集したところ、最終的にはおよそ380万円が集まりました。

このお金の主な使い道は、起業部の指導のためにAPUに来てくれる卒業生などの交通費や宿泊費ですが、クラウドファンディングを使ったのは、学生たちのモチベーションを高めるという目的もありました。見ず知らずの人たちに応援され、経済的にも支援されているという自覚は、親や自分のお金で学ぶのとは別のモチベーションを学生たちに与えるのではないでしょうか。

企業との連携から生まれたハラール認証取得醤油

先に述べた国立公園オフィシャルパートナー参画やインターコンチネンタルホテルとの連携検討を始め、外部との連携を積極的に行っているのもAPUの特徴です。

大学の役割とは何かと考えたとき、教育研究を一所懸命行う、地元社会ときちんと連携する、マネジメントをしっかり行うということに尽きると思います。

グローバルな大学をみると、教育研究に一所懸命取り組むのは当然のこととして、地元社会との連携やマネジメントをしっかり行っています。ＡＰＵも同様に、地元社会との連携とマネジメントに力を入れています。

地元社会との連携については、「民官学」のトライアングルをしっかりと打ち立て、地域を元気にする私大モデルを確立しようと考えています。ＡＰＵは既に大分県下のすべての市町村と連携協定を結んでいますが、何も大分県内に限定する必要はありません。２０１９年には佐賀県の有田町と協定を結び、人間国宝が2人おられる伝統工芸の町有田とＡＰＵの留学生をかけ合わせ新しい官と学のコラボレーションを実現しようと考えています。同じく２０１９年にＡＰＵは九州経済連合会とも協定を結び、民と学のコラボレーションにチャレンジしています。インターンや採用はもとより、幹部教育や商品開発などあらゆる分野で九州の有力企業とのきずなを強めたいと思っています。要は、もっともっとＡＰＵを使いたおしてほしいということです。

マネジメントの面では民間企業の社外取締役にあたる10名の有識者からなるＧＡＢ(Governing Advisory Board）を発足させました。10名のアドバイザーは次の通りです。国際基督教大学学長、マレーシアサインズ大学副学長、パリ第八大学心理学部准教授、別府市長、大分県企画振興部長、立命館アジア太平洋大学校友会副代表、株式会社グルーヴノーツ代表取締役会長、シンガポールマネジメント大学学長相談役、日清食品ホールディング

産学連携で共同開発したハラール認証取得のはちみつ醤油

APU起業部から生まれたバングラデシュの革製品ブランド

ス株式会社CEO、インカーネット・ワード大学学長。

また、断腸の思いではありますが、教育基盤をさらに充実させる観点から2020年度からの授業料の値上げを決断しました。増収分はすべて教育・研究の拡充にあてるつもりでいます。

ここで企業との商品開発の一例を紹介しましょう。それは、文久元年（1861年）に創業した大分県の老舗醤油メーカー・フンドーキン醤油と事業開発支援のインスパイア、そしてAPUの三者が産学連携して開発した、ハラール認証を取得した醤油「はちみつ醤油」です。

インバウンドで日本にはイスラム圏からも多くの人々がやってくるようになっています。日本に来たら、やはりおいしいお寿司やお刺身を食べてもらいたいのですが、アルコールを含まないなど、誰でも安心して食べられる、ハラール認証の醤油がないとムスリムの人はお寿司やお刺身を楽しむことができません。

そこで三者が共同で商品開発し、ムスリムの人も安心して食べられる醤油をつくったのです。中心になったのは7ヵ国・地域11名の学部生・大学院生からなるAPUの学生チームでした。将来は海外市場への展開も見据えています。

これはまさにダイバーシティからイノベーションが生まれた好例といえるでしょう。

尖った学生を集め、混ぜる教育を行う多文化共生キャンパス

日本が衰退したのはユニコーン企業が生まれなかったからで、ユニコーン企業は世界中から集まった「変態オタク」がワイワイガヤガヤ議論するなかから生まれると先に述べました。大学は東大に代表される偏差値型と、APUに代表される、好きなことを徹底的に伸ばす変態オタク型の2つのパターンをつくれ、とも。

大学がみんな偏差値型だったら東大を頂点とする富士山のような広がりとなり、それでは多様性が発揮できません。やはり八ヶ岳のようにいくつもの峰がなければいけない。さまざまな個性ある大学が存在し、学生の多様なニーズにマッチしない限り日本の未来はありません。そしてAPUは変態オタク型の頂点に立てると僕は確信しています。

だからといって、ＡＰＵは何か突飛な授業をしているわけでは決してありません。変態オタクは授業から生まれてくるのではなく、学生が自主的に自由勝手に好きなことをやり始めるからこそ変態オタクなのです。学生が好きなこと、興味のあることにチャレンジし、教職員がそれをサポートすることが重要です。大学のカリキュラムだけではなく、起業部のような課外活動も含めてです。ＡＰＵは学生のすべてのチャレンジを全力で応援していきたいと思っています。

そもそもＡＰＵに入学する学生たちは、ＡＰＵを選択した時点でかなり尖っています。日本人の学生だけを見ても、九州出身者は3割しかいません。3分の2は東京や大阪、京都といった大都市を含む他の地域からで、むしろ大学がたくさんあるエリアから来ているのです。大学がたくさんあるにもかかわらず別府の山の上の大学に来ているのですから、相当な尖りようです。

ＡＰＵに入学した1回生は原則として全員が、寮に入ります。一部の居室は2人1組で使うシェアタイプで、日本人と留学生の組み合わせで暮らします。日本に来ている留学生とはいえ、日本語を完璧に使えるわけでは全くありません。留学生は英語入試で入ってきますから日本語が全くできないケースが実は通常なのです。片言の日本語と、片言の英語のちゃんぽんで18歳の若者が1年間一緒に生活すれば、当然人間として鍛えられます。

寮のキャパシティは限られており全学生を収容することはできないので、2回生になると別府の町で暮らすことになります。各国からの留学生も1年間、寮生活をおくっているのでゴミ出しの方法や日本の生活習慣は学んでおり、日本語も覚えるようになっています。だから寮を出ても、町でしっかり生活できるのです。

積極的に学生同士を「混ぜる」仕掛けも用意しています。その一つが「マルチカルチュラル・ウィーク」です。これは希望者が大学に届けると、ある国や地域の文化を紹介するイベントを1週間開催できるというもので、たとえば「インドネシアウィーク」を開催すれば、大学にインドネシアの旗を掲げることもできるし、ホールを借りてイベントもできる。生協でもインドネシア料理を出します。

ただし、ルールが一つあります。インドネシアウィークを開催するときは、主催者チームのインドネシア人のウェイトを半分以下にしなければなりません。要するに、一つの国の人だけのチームでイベントを主催したら単なるお国自慢や同窓会になってしまうので、主催者チームの構成員はその国出身者を半分以下にしなければいけない。だからインドネシアウィークの主催者チームにはインドネシア人のほか、様々な国・地域の学生が参加しています。

そうすることでインドネシア人の学生は、自国の伝統文化を他の国の学生に教える必要が生じ、どんどん相互理解やコミュニケーションが深まるわけです。

日本人の学生も沖縄ウィークや関西ウィークを開催しています。関西ウィークでは関西弁でお笑いをやったりするのですが、その場合も当然、主催チームの中の関西出身者は半数以下です。このように全てのケースで学生を「混ぜる」ことがAPUの基本理念となっているのです。

APUのダイバーシティ環境に注目が集まる一方、少子高齢化による18歳人口の減少で、「日本人の学生が減るので外国人の学生を増やしたい」という大学が増えています。そこでAPUに見学に来る大学関係者も増えていますが、「これは簡単に真似できるものではない」と肩を落として帰っていきます。

APUがなぜ学生の半分が留学生、教員も約半数が外国籍という多文化共生キャンパスをマネージできるのかといえば、実は職員の全員が日本語と英語の両言語で仕事ができるからです。

たとえば入学したばかりの留学生が病院に行かなければならなくなった場合、別府に英語ができる医者はそれほどいないので、職員か先輩が連れていくしかありません。そこでは医者に通訳できる英語力が必須となります。

あるいは学内でイベントを開催するためメールで案内を出すときも、まだ日本語を読めない留学生もいるので、英語で書かなければなりません。ＡＰＵ学内の案内はメールを含めてすべて日本語と英語を併記しています。このように職員が英語を使えないと、学校運営が回らないのです。

ＡＰＵでは２０１９年１月に４人の職員を中途採用しました。３人がＡＰＵの卒業生で１人が東大卒。そして４人とも３つの言語が話せます。全職員が英語を使えるという条件は簡単につくれませんから、他の大学はなかなかＡＰＵの真似ができません。ここにＡＰＵの強みがあります。

付け加えると、国際大学は非常にコストがかかります。会議の資料もすべて両言語で用意しなければならないのですから。多文化共生環境をつくり、維持するのは決して容易なことではありません。

世界の一流大学はなぜ財政が豊かなのか

世界の一流大学と日本の大学の違いについても触れておきましょう。

違いはたくさんありますが、とくに大きいのが財政面です。たとえばハーバード大学はもともとは寄付金をベースにした約４兆円といわれる豊富な自己資金を有しています。アメリカの経済成長率はおよそ３％なので、この利率で運用すると毎年１２００億円ものキャッシュが生み出されます。日本の大学で、1200億円以上の予算を立てている大学が何校あるでしょうか。日米ではまず財政規模がまったく異なります。

これを見て「日本の大学の先生も企業に行ってお金を集めてこなければならない」という人がいますが、それは背景をまったくわかっていない主張です。

ハーバード大学をはじめ海外の一流大学が、なぜこれほどの規模の自己資金を保有するようになったかというと、その国が高度成長した時期に自己資金を殖やしたからです。

「72のルール」をご存知でしょうか。これは「72÷利率」が、元本が倍になる年数になるという法則です。わかりやすい例をあげると、中国のGDPは少し前までおよそ500兆円で日本とあまり変わりがありませんでしたが、あっという間に1000兆円を超えていきました。「なぜだ。これはインチキだ」という人がいたりしますが、成長率が低迷する日本を尻目に中国は7％成長を続けました。これを72のルールに当てはめて計算してみましょう。

72÷7≒10

つまり、10年で倍増する計算になり、中国のGDPが短期間で倍増したことには、何の不思議もありません。成長できなかった日本のGDPが横ばいなのも同様に72のルールから簡単に説明できます。

このように7％成長すると、10年で預貯金は倍になります。20年なら4倍、30年なら8倍です。40年で16倍、50年で32倍……。つまり、1000億円が3兆円になったのです。もうおわかりでしょう。巨額の自己資金を持っている海外の一流大学は、自国が高度成長した時期に、もともと保有していた寄付金を殖やしていったのです。

したがって、日本の大学が巨額の自己資金を持とうと望んだのなら、戦後の高度成長期に政府が資金を渡して運用しなければなりませんでした。現在のゼロ金利の日本で民間からお金を集めて殖やそうとしても、不可能なのです。ハーバード大学の現在の自己資金の大きさだけをみて、「大学は民間からもっとお金を集めろ」という意見は、歴史的な洞察を欠いているというほかありません。

将来的には大学の先生にも競争原理の導入を

海外の一流大学と日本の大学との比較でもう一つ大きいのは、競争原理の導入の有無です。

アメリカの大学の先生には定年がありません。80歳を超えても教授として仕事をしている人がいます。僕が大学教員の定年をなくすべきだとフェイスブックに書き込んだところ、見知らぬ大学の先生から反応がありました。

「高齢化社会で定年をなくしたら大学の先生は教授ばかりになり、助教も准教授もゼロになってしまう。それでは大学は回らなくなる」

定年のないアメリカの大学は正教授3割、助教3割、准教授3割くらいの割合になっています。なぜそうなるかといえば簡単で、授業ごとに学生のアンケートをとって授業評価を厳しく実施して、その評価が低い人は淘汰されていく。当たり前の話です。

学生から高い授業料をとっているのに、学生からみて魅力がない講義を実施している先生をなぜ雇う必要があるのか。競争原理が導入されているから、アメリカでは年齢にかかわらず、学生がびっくりするような面白い講義をする先生が残るわけです。つまり、定年をなくすことと競争原理の導入はワンセットです。もちろん、これは将来の大きい方向性の話であって、民間でも解雇に躊躇するようなわが国の風土で、大学に競争原理が簡単に持ち込めるなどと思っているわけでは全くありません。またテニュア（終身在職権）としての身分保障により長期的な研究に取り組める、というメリットも十分理解しているつもりです。

なお、一般的な解雇について述べれば、プロ野球を見ればよくわかると思います。結果を出せなかったら解雇されるプロ野球は一見、厳しい世界に見えますが、解雇しなければベンチや二軍の席を温めるだけです。その間に体力も落ちるし、野球以外の新しい能力を身に付けることもできません。解雇されれば他のチームの入団テストを受けて、活躍の場が見つかるかもしれません。実は人生の旬の時期に飼い殺しをするほど非人道的な方法はないのです。

別府の町とAPU

ＡＰＵに話を戻しましょう。

ＡＰＵ開学から20年が経ち、別府の人たちは、ＡＰＵの学生たちを温かく受け入れてくれています。別府市の人口はおよそ11万とちょっと。ということはＡＰＵの学生はそのうちの5%になります。ただ、日本の他の市町村と同様に別府市も高齢化が進んでおり、18歳から22歳の人口は1万人ちょっと。ＡＰＵの学生は６０００人なので、この年代の２人に1人はＡＰＵ生ということになります。ＡＰＵがなくなったらお祭りの神輿を担ぐ人もいなくなるし、飲み屋さんのアルバイトも確保できなくなります。今でこそ、ＡＰＵの学生は別府の町にとけ込んでいますが、開学するまでは市民の大反対を受けたそうです。「犯罪者が増えたらどうするんだ」「外国人にゴミ出しはできるのか」というように。でも開学してこれだけの人数になると、もはや町を支えるインフラになっています。

僕が別府の町を歩いていると、飲食店でアルバイトをしているＡＰＵ生から、「学長、一杯飲んでいきませんか」と声がかかります。先日もカレー屋に入ってランチを食べ、会計しようとしたら「学長、私が店長に交渉してデザートをプレゼントしますから食べていってください」と。いや、きちんとお金は払うからといったら「もう交渉しちゃいましたから」と笑顔で話してくれました。

学内でも学外でも学生と接する機会はたくさんあり、彼ら彼女らの発想は面白いのでとても刺激を受けています。

たとえば、「おはようございます。マザー・テレサの○○です」とメールを送ってくる女子学生がいます。彼女はマザー・テレサの後継者は自分しかいないと信じているのです。

「スティーブ・ジョブズを超える」と公言していた学生もいました。彼女はキャンパスで会うたびに僕の背中を叩いて「あと20年生きてくださいね」といいます。彼女の計算では20年後にジョブズを超えるので、それまで生きていてほしいということのようです。

このように日々、若い学生たちと接するなかで僕自身もＡＰＵでとてもたくさんの刺激を受けて学んでいます。

学びに年齢は関係ありません。しかし日本では教育というと若者のためのもので、社会に出たら教育や学びとは縁が切れてしまいがちです。しかし、本当にそれでいいのでしょうか。還暦からの底力を発揮するためには、継続的な学びが必要です。ＡＩやＩｏＴという言葉に象徴されるように、社会はものすごいスピードで変化しています。常に「人・本・旅」で学び続けないでどうして社会にキャッチアップできるというのでしょう。

教育は若者のためだけのものではない

教育とは何のためにあるのでしょうか。改めて考えてみると、そこには大きく2つの目的があるのだと思います。一つは社会に出て必要となる基礎的な知識即ち、生きるための武器を身に付けること。もう一つは考える力を身に付けることです。

スクール（school）の語源はギリシャ語のskhole（スコレー）にあるといわれ、その意味は余暇です。要するに勉強はヒマなときにするものだということです。

昔は「人間の生活＝人生＝仕事＝教育」でした。

たとえば焼き物師になりたい人は、焼き物のお師匠さんのところに弟子入りしました。丁稚奉公をしながら焼き物の技術と方法を身に付けていくのですが、そこでは毎日の生活のなかに仕事や教育が区分されずに存在し、毎日の生活が人生そのものでした。

このスタイルだと教育は師匠と弟子のマンツーマンか、師匠と弟子数人の、せいぜいマンツーファイブくらいが限界です。また、貴族などの特権階級は家庭教師からマンツーマンで教わっていました。特権階級は人数が少ないので、こういうシステムが可能でした。

ところが産業革命が起こると、大量の均質な労働力が必要になりました。工場で働く労働者を大量につくらなければならないという要請に応えるには、マンツーマンではなく人数をまとめて教えたほうが効率的です。そこで一ヵ所にみんなを集めて、読み書きそろばんなど工場労働に必要な基礎知識を教えるために、現在のスクールの原型ができあがりました。

このように現代に至る教育の成り立ちを考えると、狭義の教育の目的は、人々に対し社会に出るための武器を与えるものといえます。また、荒っぽくまとめると、産業革命によって生活と人生、仕事と教育が分けられました。

一方、人間と動物の違いは何かといえば、考えることです。パスカルが『パンセ』で人間は考える葦であると述べたように、両者の違いは考えられるかどうかに尽きます。

山本義隆さんという在野の科学史家で、『磁力と重力の発見』(みすず書房)などすばらしい本を何冊も執筆している人がいます。元・東大全学共闘会議代表であり、予備校の物理の名物講師として長年、教鞭をとっていたのでご存知の方も多いでしょう。

山本さんはあるインタビューで「人は何のために勉強するのか?」という質問に対し、「専門のことであろうが、専門外のことであろうが、要するに物事を自分の頭で考え、自分の言葉で自分の意見を表明できるようになるため。たったそれだけのことです。そのために勉強をするのです」と答えています。

つまり人が「考える葦」になるために、自分の頭で考え自分の言葉で自分の意見をいえるような人間を育てることが、教育の根源的な目的ということです。

そして「考える葦」としての人間の成長には完成も終わりもありませんから、この目的のためには子供の時期だけに限らず、大人になっても一生勉強し続ける必要があるのです。

教養は「おいしい人生」を楽しむためにある

人生において教養はなぜ重要か、という問いにも答えておきましょう。

一番簡単な答えは、教養がある人は、教養がない人に比べて豊かで楽しい人生をおくれるからです。僕は「おいしい人生」という言い方をしていますが、講演でご飯のアナロジーで「おいしいご飯とまずいご飯、どちらを食べたいですか」と質問すると、みなさん「おいしいご飯」と答えます。当たり前ですよね。

次に「おいしいご飯を因数分解するとどうなりますか」と重ねて質問すると、「いろいろな材料を集めること」と「上手に料理すること」という答えが返ってきます。正しい解答だと思います。

では「おいしい人生」を因数分解するとどうなるか。答えはおいしいご飯と一緒で、いろいろな材料を集めることと、それらを上手に料理することです。

おいしい人生における食材とは「知識」であり、上手に料理する力は「考える力」です。まず、材料である知識がなかったら何もできません。ただし、材料を集めてもそれを人生において具体的に活用する考える力がなかったら、おいしい人生を楽しむことはできません。

以上をまとめれば「教養＝知識×考える力」という式になり、これはおいしい人生をおくるには必須のものです。

この式の右辺は時代によってウェイトが変化します。第二次世界大戦に敗北した後、復興のため「アメリカに追いつき追い越せ」でやっていた戦後の日本は、知識のウェイトが大きい時代でした。自動車や家電、電子製品といった製造業を中心に、先行しているアメリカにキャッチアップするには、それまでにない新しい発想やコンセプトを生み出す思考力より、既存の知識を吸収し、活用するほうが重要だったからです。

率直にいうとGMやフォード、GEといったお手本となる先行モデルがあったので、とりあえずは彼らの事績を学んでその真似をすればよかったのです。

ところが現在は追いつき追い越せという先行モデルがなくなる一方で、急速なデジタル化の進展で知識は簡単に手に入るようになりました。

僕は昔、わからないことがあると図書館に足を運び、分厚い百科事典を開いて調べていました。しかしいま、紙の百科事典に頼る人はおそらくあまりいないでしょう。ネットで検索すればすぐにわかるのですから。ウィキペディアも最近はかなりの精度があります。そう考えると知識や情報を取得するコストは昔と比べ、格段に低くなっています。

しかも社会の変化のスピードが速いので、知識はどんどん陳腐化していきます。そうなると今後は考える力のウェイトが圧倒的に高くなっていくのは確実でしょう。時代が変化するスピードが速くなればなるほど社会常識を疑い、原点からものごとを考える力、即ち探究力が重要になってきます。

この考える力を養うことを昔はリベラルアーツとして教えていたので、最近になってそのことを思い出して「教養が大事」という人が増えたのだと思います。

考える力をつけるにはまず「古典」の型を真似る

では考える力を養うには、どうしたらいいでしょうか。またご飯のアナロジーに戻って考えてみると、人が料理の能力をどうやって身に付けるかといえば、最初はレシピからです。

僕が大学に入学して故郷を離れて下宿暮らしをはじめるとき、母に好物のいくつかのつくり方を教えてもらい、それを自分で紙に書いて下宿先に持っていきました。母のレシピです。

最初は母のレシピの通りにつくるところからはじまって、「ちょっと塩辛いから塩を半分にしてみよう」などと自分で調整して、自分にとってちょうどいい加減を見つけていきました。最初は人の真似から入り、試行錯誤を繰り返しながら自分のものにしていくわけです。

考える力も料理と同じで、最初は考える力の高い人の真似から入り、試行錯誤を繰り返しながら自分のものにしていく。具体的には考える力の高い人が書いた本を読むことです。それは歴史的に長く読み継がれてきた古典に他なりません。たとえばアリストテレスやデカルト、アダム・スミス——。最初はそうした極めて優秀な人たちの本をていねいに読み込んで、その人の思考のパターンや発想の型を真似ていくしかないと思います。

本を読む意味は単なる知識の獲得にとどまらず、先人の思考のパターンや発想の型を学ぶことにあります。料理のレシピとまったく一緒です。先人の思考のプロセスの追体験からはじめるのです。

仕事で相手を理解しようとするときも、いくつかの問題に対してその人が出した結論だけを見るのではなく、「あの人はこのように考えるからこんな結論が出てくるんだ」と相手の思考の癖やパターンをきちんとつかまなければ、その人とはうまく取引することができません。

部下を指導するとき、指導の上手な上司は、その部下にとって参考になるロールモデルを示して、「あの人の発想をよく見ておくんだぞ」などと指示しますし、上司とうまくやる部下は相手をよく観察して、「この上司はこういう局面でカッとするタイプだな」などと上司の思考パターンを理解していきます。

このように個々の人間を理解してうまく仕事をしていくうえでも、人間の思考のパターンの把握は必要不可欠なのです。

歴史が示す学びとダイバーシティの重要性

教育の根源的な目的から考えても、おいしい人生をおくるためという教養の意義からしても、学びは一生継続していくものです。

まして現在のように世の中の変化がどんどん早くなると、若い頃に大学で最新の知識を一所懸命学んでも、その知識は10年後、20年後には古くなってしまうでしょう。それで人生１００年時代を乗り切ることは困難です。学んで働いて、また学んで働いてを繰り返していかないと、どんどん獲得した知識が役に立たなくなってしまいます。いま、生涯にわたって教育と労働など他の活動を交互に繰り返す教育システム「リカレント教育」が注目を集めているのには、こういう背景があります。

すでに諸外国では、学んで働く、学んで働くの繰り返しが当たり前になっています。25歳以上の学士課程への入学者の割合は、ＯＥＣＤ平均が16・８%なのに対し、日本はわずか２・５%にとどまっています。

大学院への進学者も少ない。世界の大学院生は10年くらい働いてから入学するのが当たり前です。「仕事の経験がある人のほうが高度な学習ができる」というわけです。フィンランドでは３人に２人が職を替えますが、そのうちの50%は仕事を替える際に、新しい資格や学位を取ってステップアップしているそうです。何ともうらやましい社会ではありませんか。

高校と大学を卒業し社会人になったらもう学校での勉強は終わり、以降は学校とは縁がなくなるというのは勝手な思い込みで、勉強はいつだって好きなときに再開すればいいのです。

９７０年に設立され、世界最古の大学の一つとされるエジプトのアズハル大学は、入学

エジプトのアズハル大学

随時・出欠席随意・修業年限なしという有名な3信条を掲げました。要するに、勉強したかったらいつでも来なさい。勉強したいことだけを学べばいい。勉強して理解したと思ったらいつ出て行ってもいいし、またいつ戻って来てもいい。大学の本質そのものである原則は、すでに1000年以上も前につくられているのです。

学ぶのは若者だけだという思い込みは、学びに支障をきたします。社会に出て働いたことがない人だけでは、高度な学習などできるわけがありません。やはり社会に出て働いている人をはじめとして年齢も性別も国籍も多様性があるほうが学びには都合がいいのです。

東京にある田園調布雙葉中学高等学校の小林潤一郎先生が行った、実験的な授業があります。まず中高生と大学生、社会人を同じ人数だけ集めてクラスをつくります。そこで一つのテーマについて議論させるのですが、簡単なルールが一つあります。それは、一人の発言は1分以内というものです。

議論の記録にはITを使っていて、内容をデジタル黒板にぱっと映せるようになっており、書記は中学生が務め意見をまとめます。

その結果を見ていて面白いのが、難しい問題を議論したら知識の豊富な社会人が圧勝すると思いきや、一人1分という制限があると発想力や思考の鋭さのウェイトが高くなるので一方的な展開にはなりません。一人30分の発言時間が与えられたら社会人の圧勝になるでしょうが、1分だと必ずしもそうはならない。

こうした実験授業を見ていると、やはり同じ属性の人ばかりのチームより、いろいろな属性を混ぜたチームのほうが面白い発想が出てきます。

だから面白いことをはじめようと思ったら多様な人を集めたほうがいい。地域おこしなら「若者、ばか者、よそ者」を呼んでこないといけません。地域の人は地元のことを知り過ぎているため、面白い発想が出てきませんが、よそ者は地域をよく知らないから面白い発想が出てきます。ばか者はばかだから、若者は経験がないから、突飛な面白い発想が出てきます。

これと同じで社会人だけで議論しても限界があるし、学生だけで議論しても限界があります。だからいろいろな人を混ぜなければならないのです。別の言葉で言い換えれば、教育についてもダイバーシティが大事だということです。

いくつになっても学ぶことやダイバーシティが大事だといっても、なかなかピンとこない人がいるかもしれませんが、歴史の重大なポイントを見ていくと、その重要性を物語るケースがたくさんあります。

たとえば明治政府が新しい国家をつくる際、非常に大きな役割を果たしたのが、明治4年（1871年）に政府首脳と同行の留学生を合わせて約100人もの大使節団を海外に長期派遣した岩倉使節団でした。しかし大久保利通が主導したこの使節団の重要性は、あまり理解されてはいないようです。

逆にアメリカ大陸を植民地とし、無敵艦隊を擁したスペインが没落したのはダイバーシティに大きな問題があったからですが、これもあまり知られていません。

こうした歴史的なケースについて、次章で紹介していきましょう。

【参考文献・資料】

滝野文恵「63歳、日本初のシニアチアダンスチーム誕生！」cakes
https://cakes.mu/posts/18331

Masakazu Senda「【深夜の新宿に現る、クールすぎるおばあちゃん】83歳現役DJ、ギネス世界記録に認定!」Guinness World Records
http://www.guinnessworldrecords.jp/news/2018/9/oldest-professional-club-dj-538416
小林せかい「日経ウーマン・オブ・ザ・イヤーを受賞しました（受賞スピーチ全文）」未来食堂日記（飲食店開業日記）
http://miraishokudo.hatenablog.com/entry/2016/12/03/082746
IHG・ANA・ホテルズグループジャパン「ANAインターコンチネンタル別府リゾート＆スパが2019年に誕生」
https://www.anaihghotels.co.jp/pdf/NewsRelease_20170622.pdf
立命館アジア太平洋大学「大学初！APUが〈国立公園オフィシャルパートナー〉就任」
http://www.apu.ac.jp/home/news/article/?storyid=3069
立命館アジア太平洋大学「国連世界観光機関（UNWTO）の観光教育認証〈TedQual 認証〉を取得！」
https://www.apu.ac.jp/home/news/article/?storyid=2961
大学プレスセンター「ついに完成！ハラール〈はちみつ醤油〉完成披露会実施」
https://www.u-presscenter.jp/2018/12/post-40594.html
文部科学省「生涯を通じた学習機会・能力開発機会の確保に向けた大学等における社会人の学び直し」
https://www5.cao.go.jp/keizai-shimon/kaigi/special/reform/wg7/290313/shiryou2-1.pdf
堀内都喜子『フィンランド人はなぜ午後4時に仕事が終わるのか』ポプラ新書

第四章　世界の見方を歴史に学ぶ

日本が鎖国できたのは「世界商品」がなかったから

先述したように、明治維新が成功した理由の一つに、岩倉使節団があげられます。

岩倉使節団が出発した明治4年（1871年）は、まだ徳川幕府から政権が替わったばかりで、それまで大名が持っていた土地（版）や人民（籍）を政府にすべて差し出すという版籍奉還を実施したのはそのわずか2年前。まだまだ政権として不安定な時期に多くの要人を長期にわたって海外に連れていけば、国内の政治が混乱するのは明らかです。しかし、大久保利通はそれでも岩倉使節団の派遣を断行しました。

岩倉使節団の重要性について説明するには一度、歴史を安土桃山時代までさかのぼる必要があります。

日本は非常に恵まれた国です。気候が温暖で四季があり、よく雨が降るしたくさん魚も獲れる。自然条件にとても恵まれているので、人間が生きていきやすい環境にあります。

ところが、世界商品がありません。水や魚は世界のどこにでもありますから、海外の人にとってぜひ欲しいというものではありません。世界商品の典型が胡椒やお茶や絹です。原油もそうです。つまり、世界中の人々が欲しがるものが世界商品で、それが存在すると世界商品の獲得のために外部から人がたくさん来訪し、場合によっては国が乱れる元になったりします。イラクになぜ米軍が入ったかといえば、石油があるからだという人がいます。同じように反米政権であっても、スーダンには入りませんでした。日本にはこれといった世界商品がなかったので、外部からあまり人が訪ねて来ませんでした。それは商売ができないので豊かな国にはならない、ということでもありますが。

ところが安土桃山時代に銀という世界商品が大量に発見されました。その代表が石見銀山です。当時の銀は世界通貨だったので、海外から銀を求める人々がわっと押し寄せてきました。

しかし信長や秀吉の時代をピークとして、乱掘によりだんだん銀はとれなくなりました。そのタイミングでちょうど鎖国が始まります。なぜ日本が鎖国できたかといえば、日本に世界商品がなくなったので、海外の人が日本を放っておいてくれたからです。

しかし日本にとっては不幸なことに、鎖国をしている間に産業革命とネーションステート（国民国家）という2大イノベーションがヨーロッパで起こりました。この2つのイノベーションがヨーロッパ列強を世界の覇権国へと押し上げたのです。その結果、日本のGDPの世界シェアは鎖国前と鎖国後を比べると半減しました。相対的にとても貧しくなったのです。

加えて徳川政権は中国の明（みん）に似た退嬰（たいえい）的な政権で、人々の自由な移動や物資の移動を禁止しました。これが意味するところは、幕府の許可がない限り、鹿児島で飢饉が発生しても熊本から米を送れないということです。徳川政権は大名同士が勝手に結び付くことを嫌ったので、すべて幕府の許可が必要でした。だから飢饉が発生すると、どこでも惨憺（さんたん）たる状況になりました。江戸に報告して許可を待っている間に、みんなが死んでしまうからです。

　また、人々の移動を禁止したので、人々が通婚する範囲が狭くなりました。移動ができなければ、自ずと同じ村か隣村くらいでしか通婚できません。それが続けば血が濃くなるので、人々の身体は小さくなっていきます。江戸末期は日本の長い歴史のなかで日本人の身長と体重が一番小さくなりました。

　政治の基本はそこで暮らしている人たちに腹いっぱいご飯を食べさせることですから、餓死者を大量に出し（現在の人口スケールで考えれば、500万人レベル）、日本人の身長・体重を一番小さくした江戸時代は史上最低の政権だったといえます。

　江戸の町人文化が好きな人のなかには「江戸の町はよかった」「江戸時代に生まれたかった」という人がいます。確かに江戸の町で越後屋呉服店のせがれにでも生まれたら、きっと楽しい生活をおくれたことでしょう。しかし当時の人口の約9割は農民です。確率的には農民に生まれ変わる可能性が一番高いので、移動もできないし、飢饉になったらすぐに死んでしまうでしょう。僕は絶対江戸時代には生まれ変わりたくはありません。

阿部正弘は明治維新の父

海外から見ると世界商品がなくわざわざ訪れる価値のなかった日本に、ペリーの黒船が来航したのは1853年のことでした。なぜ、ペリーは日本に来たのでしょうか。

当時のアメリカは米墨戦争に勝ってカリフォルニアを獲得し、人口の多い清との貿易開拓を狙っていました。明治維新前夜の世界情勢はアメリカと大英帝国が中国市場をめぐって激しく争っていた時代だったのです。

ペリーの艦隊はニューヨークの北部の港を出港して大西洋を横断し、アフリカを回って中国に立ち寄り、琉球、日本というルートで来航しました。

中国マーケットをめぐる競争において、ペリーは大西洋ルートでは大英帝国との競争には絶対勝てないと考えていました。わかりやすくいえば、ニューヨークからロンドンへの船賃の分、必ずコストが高くなるからです。したがって中国マーケットを巡る争いで大英帝国に勝つには太平洋航路を開くしかない、と。

しかも地球は丸いので、アメリカからハワイ経由で中国へ向かうより、日本列島を経由して上海や広東に行くほうが近くてコストを節約できます。そこで日本に地政学的な価値が生まれてきたのです。

　ペリーは最新鋭の戦艦を引き連れて来航しています。後の日本海軍でいえば、大和や武蔵に相当します。つまりアメリカの国益のために、何がなんでも日本を開国させ中継港を確保しようという強い意志を持って日本にやって来たのです。黒船来航は単に捕鯨船の補給基地が欲しいといった話ではなく、アメリカの世界戦略に基づいた動機から派生した大事件でした。

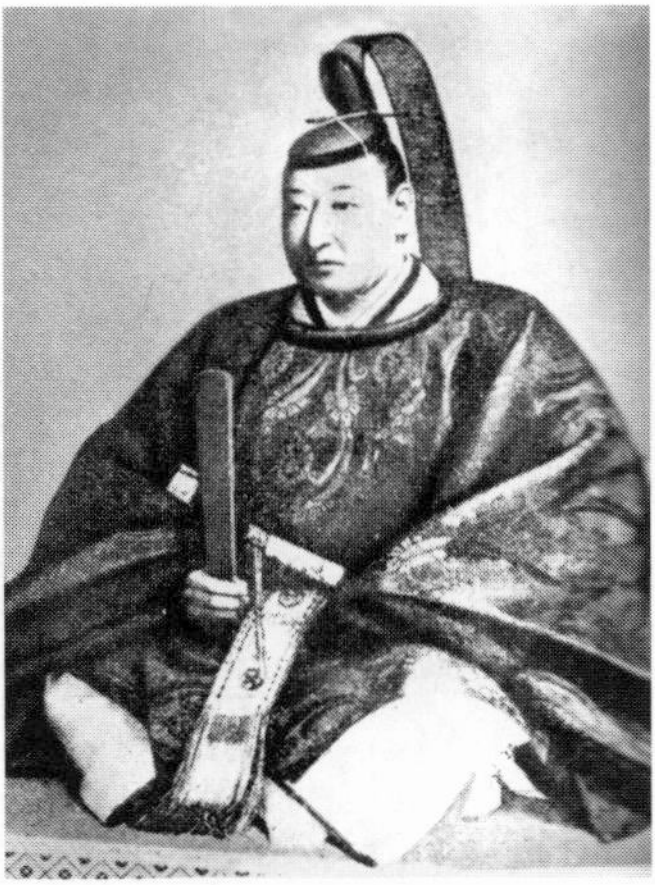

開国を決断した老中・阿部正弘

　日本にとって幸いだったのは若くて英明な阿部正弘が老中首座、いまでいう首相のような立場にいたことです。阿部は阿片戦争の状況など、世界の動きをつぶさに学んだ後で、やはり開国しなければいけないと決断します。国を開いて商売をして、お金を儲けて軍隊をつくらないと、日本も清の二の舞になってしまう。そこで阿部は、開国・富国・強兵という日本国家の新しいグランドデザインを描いたのです。

　その後の安政の改革で阿部は勝海舟や大久保忠寛、高島秋帆（しゅうはん）などの開明派を登用し、陸軍の前身である講武所、海軍の前身の長崎海軍伝習所、東京大学の源流の一つとなる蕃書調所(ばんしょしらべしょ)などを矢継ぎ早につくりました。

また、開国にあたっては朝廷や雄藩の外様大名はもちろん、市井の声も聞こうとしており、「万機公論に決すべし」を地で行っています。阿部正弘は実質的に明治維新の準備をほとんど先取りしてやった人なのです。

その頃、薩摩藩や長州藩は何を考えていたかといえば尊王攘夷です。尊王攘夷は何かといえば、外国人は斬り殺し、昔の日本に還るという話で、現代でいえばＩＳ（イスラム国）と同じです。ＩＳはカリフを復活させて、外国人は殺すといっています。

薩長は血気にはやって、勝手に尊王攘夷を始めます。それが薩英戦争であり下関戦争ですが、その結果はご存知の通りで、薩長ともボコボコにされてしまいました。そこで大久保利通や伊藤博文らが「尊王攘夷はあかん」と本心から理解するわけです。阿部正弘のほうが賢く、自分たちは世間知らずであったと。

しかし尊王攘夷で振り上げた拳はいまさらおろせないので、薩長は幕府を倒します。

幕府を倒した後、大久保利通は「尊王攘夷はだめだと自分はわかっている。しかし新政府の幹部たちはわかっていない。どうすれば尊王攘夷の旗をおろして開国・富国・強兵の旗に切り替えられるだろうか」と考えたと思います。そこで出てきたのが岩倉使節団でし

岩倉使節団。右から大久保利通、伊藤博文、岩倉具視、山口尚芳、木戸孝允。政府首脳陣や留学生を含む総勢107名

た。攘夷の機運をなくすには、欧米列強の実態を見せるのが一番です。

まだ新政府ができたばかりの国内が安定していない時期に、多くの大臣を引き連れて世界の視察に出かけた背景には、このような事情があったのだと思います。

欧米列強の実態を直接見て学ぶことにどれだけの効果があったか。その象徴が団長の岩倉具視です。岩倉具視はちょんまげに羽織袴というスタイルで出発しますが、途中でちょんまげを切り、洋服を着るようになりました。

おそらく岩倉具視は「日本男児はちょんまげ、羽織袴」だと考えていたものの、アメリカ各地を回っているうちに「こんなつまらない我を張ったところで何の足しにもならない」とわかってきたのだと思います。

大きな流れで見ると、岩倉使節団という思い切った仕掛けで政府首脳に勉強をさせて、尊王攘夷から上手に開国・富国・強兵に方針を切りかえ、阿部正弘のグランドデザイン通りに政治を舵取りしたからこそ明治維新は成功したのです。

その意味では、岩倉使節団は明治政府のレベルを上げる試みであったといえます。欧米諸国がどうなっているかを知らないまま国造りに猪突猛進するよりも、これから新政府づくりという国家百年の計に取り組むからには、1~2年くらい遅れてもかまわないので政府の首脳が欧米の実態を学ばなければいけないと割り切った大久保利通の胆力はすごいと思います。

ところで、この大久保利通のライバルが西郷隆盛でした。西郷はどういう人だったかといえば詩人で、夢を見る人で、永久革命論者でした。その点では毛沢東によく似ていますが、大きな違いは権力欲の無さです。だから大久保が帰国した後、征韓論で対立すると西郷は政府を辞めて故郷に帰りました。

一方の大久保は鄧小平のような実務家です。第二次大戦後、中国の発展がなぜ遅れたかといえば、権力欲の強い毛沢東が死ぬまで権力に執着し、詩人の夢想に基づいた大躍進政策や文化大革命を引き起こしたからです。

もしかしたら日本でも、西郷隆盛がずっと権力を握っていたら、毛沢東の中国のように混乱が続いていたかもしれません。しかし鄧小平にあたる大久保利通が早くから実権を握り、その後継に伊藤博文という第二の鄧小平を用意していたので明治維新はうまくいったのだと思います。

第二次世界大戦後、毛沢東が早く亡くなって鄧小平がもっと早く権力を握っていたら、中国はもっと早い時期に勃興し、日本は経済大国になれなかったかもしれません。このあたりは歴史のｉｆです。が、現実の歴史にｉｆはないのです。

スペインの没落を招いた「血の純潔規定」

ダイバーシティの重要性を歴史から学ぶのに一番いい例は、スペインの「レコンキスタ（再征服）」と「血の純潔規定」でしょう。

レコンキスタとはキリスト教徒が行った、イスラム教徒からのイベリア半島の解放運動のことです。

イベリア半島では711年にイスラム勢力が侵攻し、約800年にわたって支配を続けていました。しかし1469年にスペインの2大強国であったカスティージャの王女イサベルとアラゴンの王子フェルナンドが結婚し、やがて両国の連合に至り、2人の王はレコンキスタに情熱を注ぎます。そしてついに1492年、最後にグラナダのアルハンブラに残っていたイスラム国家、ナスル朝を滅ぼしレコンキスタを完成させました。この戦績により、イサベルとフェルナンドは「カトリック両王」の称号をローマ教皇から授けられました。

ところがイサベルとフェルナンドはレコンキスタの完成からすぐに、ユダヤ人の追放を始めました。かねてよりフェルナンドの要請により異端審問所の開設がローマ教皇から認められており、これがフルに働きました。

カスティージャの女王であるイサベルの財務大臣はユダヤ人でした。ユダヤ人の力を借りてファイナンスをしながら戦争を遂行して勝利を得たにもかかわらず、ユダヤ人を追い出したのです。

もし現在のニューヨークでトランプ大統領がユダヤ人追放令を出したらどうなるか。あっという間にニューヨークの金融街はさびれてしまうでしょう。そんな愚かな政策がスペインでは実行されたのです。

また、レコンキスタ完成と同じ1492年、イサベルの援助を受けたコロン（コロンブス）がアメリカに到達し、スペインは新大陸の植民地化を進めていきました。これによりスペインは大量の金銀をアメリカから得たのですが、1557年にバンカロータ（国家支払い停止宣言）を行いました。つまり、国家破産です。

なぜスペインが国家破産したかといえば、2つ大きな理由がありました。一つは当時の君主、カール5世が凡庸で、マルティン・ルターが始めた宗教改革の弾圧に走りドイツで泥沼の宗教戦争を引き起こしたこと。さらに、フランスのフランソワ1世とイタリアを中心に覇権争いを繰り広げたこと。カール5世の治世は戦争に次ぐ戦争に明け暮れました。戦争はお金ですから、これではいくらお金があっても足りません。もう一つが、ユダヤ人追放令の延長にある「血の純潔規定」という法制度にありました。名前からして恐ろしげなこの法律は、祖先にユダヤ人やムスリム（イスラム教徒）がいたらその人を社会の要職から締め出すというものです。

イベリア半島は800年にわたりムスリムが支配しており、セファルディムと呼ばれたユダヤ人もたくさん住んでいました。したがって、どこかでユダヤ人やムスリムとつながっている家系は少なくありません。そうした地域に血の純潔規定のような極端な法律をつくったら、スペインでは仕事ができなくなる人ばかりになってしまいます。

血の純潔規定を導入した結果、みんな夢中になったのが家系図づくりで、儲かったのは代書屋だけでした。一方で政敵を陥れるために「あいつにはムスリムの血が入っている」と足の引っ張り合いも盛んに行われました。愚の骨頂とはこのことです。純粋なカトリック以外を排除していった結果、有能な人材や働き盛りの人材が次々に海外へ流出し、スペインはどんどん衰退していきました。

800年もの間、イベリア半島ではイスラム教、キリスト教、ユダヤ教が共存して華やかな文化が咲き誇っていましたが、ダイバーシティの真逆の政策をとったことで幸福なスペインの時代は過去のものとなり、大植民地を獲得していたにもかかわらず、スペインは早々に没落していったのです。


ダイバーシティで栄えた国、逆の政策で没落した国

スペインとは対照的に、レコンキスタで追い出されたユダヤ人を受け入れたのがトルコのオスマン朝でした。オスマン朝が巨大な版図を築いた背景には、東西をつなぐ要衝のコンスタンティノープル（イスタンブール）を手中に収めたことも一因ですが、やはりダイバーシティのウェイトが大きかったと思います。

オスマン朝はスペインから逃れてきたユダヤ人を受け入れたほか、宗教面ではコンスタンティノープルに本拠を置くキリスト教の東方教会を寛大に扱っています。極めつけは1533年、北アフリカの大海賊バルバロス・ハイレッディンを帰順させ、海軍提督に起用したことでしょう。オスマン朝は陸軍国でしたが地中海へ出ようとすると海軍が必要になります。そこで地中海の海賊をオスマン朝の海軍に取り立てたわけです。キリスト教徒の船を相手にするわけですから海賊も海軍もやることは同じだというわけです。何というフラットで柔軟な考え方でしょう。

オスマン朝は外国人であっても能力のある人を大歓迎しました。これはトルコ人が少数だったからできたことです。元をたどればトルコ人はモンゴル高原から延々と流れてきた人々のため数が少なく、大帝国を統合するためには寛容さを発揮し、みんなを受け入れるしかなかったのです。さまざまな民族の出身者を要職に登用したモンゴル世界帝国にも通じる話です。

スペインを支配したハプスブルク家は元を辿ればスイスの弱小領主に過ぎませんでしたが結婚政策が大当たりして大君侯に成り上がると、やけにプライドが高くなり「結婚相手は位の高い家系でなければいけない」と主張するようになりました。そしてスペインとオーストリアのハプスブルク家は同族結婚を繰り返していきます。

近親婚の繰り返しは遺伝性疾患の可能性を高めます。スペイン・ハプスブルク家最後の君主、カルロス2世は病弱で子供ができず、結局、スペイン・ハプスブルク家は後継者がいなくなって滅んでしまいました。

なお、スペインの血の純潔規定は19世紀初めにナポレオンにスペインが占領されるまで続けられました。宗教的な不寛容さがいかに国を滅ぼすか、誠に恐ろしい話です。

日本の敗戦はおごり高ぶって開国を捨てた結果

大久保利通を中心に政府首脳が謙虚に海外の先進事例から学び、尊王攘夷から開国・富国・強兵に方針を転換し、老中首座、阿部正弘のグランドデザインを実行したからこそ明治維新は成功したと述べました。しかし日本はその後、開国を捨て、世界から孤立して第二次世界大戦で敗北し、国土は焼け野原と化しました。

振り返ってみると、日本は日清戦争に勝利し、伊藤博文の慧眼によって日露戦争を上手に引き分けに持ち込みました。その後第一次世界大戦にも勝利し、世界の5大国の一つとして認められました。ところが、この頃からおごりが生じます。「うちはもう世界の一等国だ」とのぼせ上がり、軍縮会議や国際連盟を脱退してしまいました。要するに開国を捨て、富国・強兵だけでいこうと方針転換したのです。

日本には近代産業を構成する3つの資源である化石燃料、ゴム、鉄鉱石のいずれもありません。これらを豊富に産出する国であればバーター取引すればいいので、自国ファーストでもやっていけます。ところが日本には3つの資源がなく、バーター取引の基本的な材料がありません。つまり、世界と仲良くやっていかなければ国が成り立たないのです。開国を捨て、富国・強兵だけで突っ走った結果、日本の石油備蓄はだんだん枯渇していきました。そして「このままでは石油がなくなるから、一刻も早く戦争をしなければならない」という倒錯したロジックが生まれ第二次世界大戦に突入していきました。

また、世界の孤児になったために、留学先もドイツくらいしかなくなり、世界の情報が入らなくなって、指導層のレベルが劣化していきました。

明治と昭和初期の指導者を比較すると、非常に大きな差があります。

その象徴的な存在が平沼内閣です。1939年、ヒトラーがスターリンに呼びかけて独ソ不可侵条約が結ばれると、平沼騏一郎（きいちろう）内閣は「欧州の情勢は複雑怪奇」との声明を出して総辞職してしまいました。

日本は1936年にドイツと日独防共協定を結び、ソ連を封じ込めようとしていました。それなのにドイツがソ連と不可侵条約を結んだため、この迷文句を残して平沼内閣は総辞職したのですが、外交の世界ではそれまでの敵と同盟を結ぶことなどよくある話です。

すなわち、平沼内閣の総辞職は日本の指導層の知的水準の落ち込みを示唆するものでした。他にもこの時代の日本は近衛文麿内閣が「国民政府を相手とせず」との声明を出すなど、外交能力の衰えを示す兆候が見え始めていました。交戦相手を相手にしなくてどうやって戦争を終結させることができるのでしょう。

第二次世界大戦の惨禍は、このように開国を捨て富国・強兵に走った結果として起こったものです。

一方、戦後の日本が幸運だったのは、吉田茂が首相に就任したことです。彼は開国・富国・強兵のうち、「戦争に負けたから3つともやるのは無理だ。強兵は日米安保条約でなんとかして、開国・富国でいこう」と新たな路線を敷きました。この路線が正しかったからこそ、日本は復活できたのです。

本当は日本に有利だったロンドン海軍軍縮会議

以上のような歴史の大きな流れを理解するには、「知識×考える力＝教養」が必要で、教養がないと間違った判断を下すことにもなってしまいます。

日本の歴史から、一つわかりやすい例をあげておきましょう。それは1930年のロンドン海軍軍縮会議です。これは1921〜22年のワシントン会議で主力艦の保有比率を定めた米英日仏伊の5ヵ国が、潜水艦や駆逐艦など補助艦の保有割合を検討する会議でした。

ロンドン海軍軍縮会議開催中、特別議会開院式を前に記念撮影に納まる大礼服姿の浜口雄幸首相（前列中央）と閣僚たち

ロンドン会議での叩き台はワシントン会議に準じ、当初は米英対日の保有比率が10対6でした。これに対して日本は10対7を要求し、当時の浜口雄幸内閣は交渉で粘って、10対6・975で条約を批准しました。

しかし、この結果に軍部や野党が激怒します。天皇陛下が認めた7という比率を勝手に変えたのは天皇大権を犯すものである、つまりは統帥権干犯であると。そして浜口首相は狙撃され、それがもとで翌年に内閣は総辞職。さらに1936年、日本は軍縮会議から脱退しました。

ロンドン海軍軍縮会議に反対する人は「10対7でもギリギリなのに、10対6・975で妥協するとはなんたることだ」と考えたわけですが、当時の日本とアメリカのGDPには3倍から5倍の開きがありました。ということは、もし軍縮会議がなかったら、アメリカは日本の3倍以上もの戦艦や空母をつくれる計算になります。

さらに詳しく見ていくと、軍縮条約によってアメリカ10に対して日本は6・975の割合で軍艦をつくれますが、アメリカは大西洋と太平洋に面しているので艦隊を分けなければなりません。仮にアメリカが艦隊を半分に分けるとすれば、太平洋だけでいい日本とは5対6・975の割合になり、日本はアメリカに対し有利な立場に立てます。

だから軍縮会議があったほうが、日本にとってははるかにメリットが大きかったのです。軍縮会議がなかったら、国力の差がもろに出て不利になってしまいます。このような小学生の算数でもわかることが当時は理解されず、日本は国力に比べ圧倒的に有利だった海軍軍縮会議の取り決めを手放してしまったのです。それは国民に正確な情報が与えられていなかったことや、指導者を含めた教養のなさに根本原因がありました。

世の中を理解するために必読の古典とは

教養を磨くには古典を読むに限ると僕は常々話しています。では歴史や世の中を理解するにはどのような本が基本になるかと考えると、まずお勧めしたいのがベネディクト・アンダーソンの『想像の共同体』です。

産業革命とともにネーションステート（国民国家）の創出が現在の世界を形作る大きな

イノベーションであったと述べましたが、同書は国民国家の正体は想像の共同体であると指摘し、鮮やかに国民国家のありようを描き出しています。歴史を学ぶには国民国家の構造の理解が不可欠であり、現在の世界の枠組みを形成する国民国家がどのようにできたかを教えてくれる同書は現代に生きる社会人の必読書だと思います。

一方でグローバル化が進む世界を理解するには、何といってもウォーラーステインの『近代世界システム』が挙げられます。ウォーラーステインは世界が全部結び付いていることをていねいに説明し、先進国と発展途上国の構造的な関係を明らかにしました。

この2冊はネーションステートとそのグローバルなつながりを知り、世界の構造を理解するための必読書であり、21世紀の世界を理解するための基本文献だと思います。もし僕が大学で講義を受け持ったら、ゼミの学生には必ずこの2冊を読ませるでしょう。

次に、近代経済学の父と呼ばれるアダム・スミス。彼は『国富論』を書いた人で市場経済の人だと思われていますが、実はもう一冊『道徳感情論』という本を書いています。こちらは公の話を展開しており、この2冊の本でマーケットと公について理解するといいでしょう。

民主主義も歴史や現代社会を理解するうえで重要な概念です。これを知るには連合王国の哲学者ジョン・ロックの『統治二論』がいい。アメリカ独立宣言やフランス人権宣言に影響を与えた本書は、民主主義の危機が叫ばれる今こそ読んでおくといいと思います。

そして自然界を統べる理論を展開したダーウィンの『種の起源』。

国民国家、世界の構造と結び付き、公とマーケット、民主主義、生命の進化の歴史――。この6冊の本を読むことで、基礎的な教養の根本は得られます。でも、実際にこれらの本を全部読んでいる学生は少ないと思います。国家公務員の上級職でも、おそらく読んでいないでしょう。

以前、国家公務員上級職に講義をしたとき、「アダム・スミスの著作を読んだことがある人はいますか？」と質問したら、ほとんどが東大卒の上級職が100人ほどいるなかで、手があがったのは3人くらいでした。人事院の先生も「最近のエリートは本を読まないんですよ」と嘆いていました。

保守主義と革新主義の違いは人間観

学ぶことの重要さについて述べてきましたが、一方で人間の脳の賢さには限界があると僕は思っています。

そもそも人間観には、人間はしっかり勉強すれば賢人になれるという人間観と、人間は勉強したところで所詮はアホな存在である、という人間観の2種類があると思います。僕が後者の立場をとっているのは、どんな賢人でも「一杯飲みましょうか」と誘えば喜ぶし、男性ならきれいな女性が好きだし、女性はイケメンが好きだからです。そしてこの「人間はそれほど賢くない」という人間観こそが保守主義の真髄だと思うのです。

人間がそれほど賢くないのであれば、賢くない頭で社会の見取り図を考えてもたいしたものはできません。つまり、正しい社会の設計図を描くことはできないので、いまある制度のなかでそこそこうまくいっているものについては正しいと仮置きしてそのままにしておこう。うまくいっている理由はわからないけれど、みんなが満足していてさほど不満がないのならそのままでいいというのが保守主義の基本的な考え方なのです。

一方で、人間は一所懸命勉強したら賢くなることができるし、哲人政治も可能であるという考え方もあります。賢い人がきちんと考えた通りにやれば、世界はうまくいくと。これが革新主義であり、その代表例が自由・平等・友愛の理念を掲げたフランス革命です。

確かにこの理念は素晴らしいのですが、それで全世界を再設計しようと考えたため、フランス革命ではいろいろなほころびが生じました。

西暦の月名は、7月はユリウス・カエサル、8月はアウグストゥスとローマ皇帝に語源があります。しかし、これは平等の理念に反するということでフランスでは革命後、月の名前を全て変更しました。時間の単位も60進法よりも合理的であるとして10進法に変更し、1時間は100分、1日は10時間というように変更しています。

しかし、このフランス革命暦は12年ほどで廃止され、元に戻されました。従来の生活習慣とは大きく異なり、定着しなかったのです。人間の頭で考えた設計図がうまくいかなかった一例といえます。

18世紀のイングランドの政治家・哲学者で保守主義の父といわれるエドマンド・バークは、フランス革命が勃発した翌年の1790年に『フランス革命の省察』を著し、フランス革命を徹底的に批判しました。その論拠の一つが「人間とはそもそも愚かな存在である。その愚かな人間が頭（理性）だけで考えたことなど、うまくいくはずがない」という主張でした。

バークが重視したのは、伝統と慣習です。それは長い時間をかけて、多くの人々が試行錯誤を繰り返したうえで生き残ったものなのだから、完全ではないにせよ、決して間違ったものではないだろうと。それに手を加えるのは愚の骨頂で、もしまずい部分があれば、そこだけを一所懸命考えて、直していけばいい。このようなバークの考え方に僕はとても共感します。

理性で考えて実行されたフランス革命ではロベスピエールが権力を掌握し、恐怖政治を開始して反対勢力を次々にギロチン台に送りました。掲げた理念とはかけ離れた血なまぐさい陰惨な展開は、共産主義革命を行った国々でも見られます。

ところがアメリカやイングランドの革命では、そのような展開にはなっていません。それはイングランドの保守主義が生きていたからかもしれません。ジョン・ロックやエドマンド・バークの考え方のベースは経験論です。イングランドはケルト人やローマ人、アングロサクソン人、デーン人、ノルマン人などの侵入や支配を受け辛酸をなめてきた国なのでなかなかしぶとく、かつ伝統や慣習を大事にするのです。だから連合王国の憲法は慣習法で、いまでもマグナ・カルタが憲法の一部となっています。

理性にすべてを委ねるのは傲慢である

この保守と革新の考え方の対立は、ありとあらゆる分野で見られるものです。

たとえば、20世紀の都市計画の代表例の一つにフランス人のル・コルビュジエという建築家が提唱した「輝く都市」という美しい理念があります。自動車が発達することを見越し、道を広くまっすぐにして、きれいな緑を植えた住居地区と工場地区、商業地区などをきれいに分けて広い道路で結ぶというゾーニングの考え方で、ブラジルの首都であるブラジリアはこの理念に沿ってつくられました。

いまでもこの思想は生きていて、まっすぐな広い道できれいにゾーニングされた都市はいろいろなところで見られます。

ところが、これに異を唱えたのがアメリカ人のジェイン・ジェイコブズでした。『アメリカ大都市の死と生』という著書で、そんなまっすぐな道なんか歩くのは嫌だ。道は曲がりくねっているほうがいい、町はごちゃ混ぜになっているほうが楽しいと彼女は述べました。飲み屋があって、働くところがあって、住むところがある。そのほうが人間的な町ではないかと。

この『アメリカ大都市の死と生』と「輝く都市」はまさに保守と革新の違いです。朝、車で緑豊かな住宅地を出てきれいに整備されたオフィスへ行って働き、仕事が終わったら商業地区へ寄って食事したりデートしたりして、静かな家に帰る。光り輝く都市の思想でつくられた町はていねいに計画的に設計されているだけあって、スマートな生活をおくれそうです。これは革新主義です。

しかし、そんなきれいな町に住むのが本当に楽しいのか。人間の本性に合っていないのではないか。家もあれば飲み屋もあり、工場やオフィスもある、ごちゃごちゃ混ざっているほうが楽しいのだ、というのが保守主義です。理屈はわからないかもしれないが、人間が心地よいと思うものはそのまま残しておけばいい。頭で考えたものはろくでもない、と。人間の理性を信じない考え方です。

別の言い方をすれば、保守主義とは「仮置き」する思想です。賢くない人間には何が正しいかなど永遠にわからないのだから、うまく回っているものごとについては正しいと仮置きして放っておくわけです。

その意味で、日本にはほとんど保守主義者がいないと感じます。保守と名乗ってはいても、「憲法は戦後、外国に押し付けられたものだから改正しなければいけない」などと理性で主張したりしています。しかしいまの憲法でそれほど困っている人がいるとはあまり聞いたことがありません。そうであれば、理屈はともかく、手をつける必要はない。わざわざ寝た子を起こさなくてもいいというのが本来の保守主義の考え方です。

繰り返しになりますが、保守主義の根幹は「人間はそれほど賢くない」という人間観にあり、革新主義との違いは、人間の理性を信じるかどうかにあります。

脳の構造から考えてみても、脳の全活動の9割以上は無意識の領域です。意識できる部分は1割程度といわれています。つまり、理性は人間の脳みその1割部分によって生み出された幻想なので、やはり理性をあまり信じないほうがいいと思います。

もちろん何らかの新しい制度をつくるときには、理性に基づいて行うしかありません。しっかり議論をしてよりいい制度を考え、実行に移していくわけですが、そのときに大事なことは謙抑主義です。

自分たちが賢いと自惚れて、理性で考えて正しいのだからこれですべてをやってしまおうなどという考え方は、かなり傲慢です。人間の脳の構造や能力の限界を十分わきまえたうえで、問題が生じていることに対しては必死に考えて制度や対策をつくる他はありませんが、それでも人間の頭はたいしたことがないので、長く続いた伝統や慣習はできるだけ大事にしたほうがいいでしょう。

歴史の事実とフィクションは分けて考える

ただし、ここで一つ注意しなければならない大きな問題があります。歴史の事実とフィクションを混同してはならないという点です。例えば、「これが日本の伝統だ」とされているものの多くは、「想像の共同体」をつくるために明治時代に入ってからつくられたものです。

天皇陛下が田植えをされ、皇后陛下が蚕の世話をされる。だから日本の伝統は素晴らしいという人がいますが、これらの取り組みが始められたのは明治時代以降です。それまでの天皇と皇后は稲を植えてはいませんし、糸も紡いでいません。こうした明治政府による伝統づくりは東京大学の小島毅教授が『天皇と儒教思想』で詳しく指摘されています。

国民国家による「伝統づくり」は別に日本に限った話ではなく、世界中で新しい国ができると取り組まれるものです。たとえばソ連から独立したウズベキスタンでは、ティムール朝の建国者で中央アジアに大帝国をつくったティムールを顕彰し、そこに民族のアイデンティティを見つけようとしています。モンゴルのチンギス・カアンも同じです。

このようにネーションステートは、想像の共同体をつくるために様々な伝統を新しくつくり出し、それをメディアが増幅します。ネーションステートの構造がわからなければ、新しく創出された伝統と古くからある伝統の差異は、理解ができません。

しかもタチの悪いことに、新しく創作された伝統のなかにはフィクションやフェイクが混ざり込んできます。この典型例が「江戸しぐさ」です。江戸しぐさは「江戸時代の商人たちのマナー」として紹介され、一部の政治家の働きかけによって小学校の道徳の教科書にも掲載されるなど広く知られるようになりましたが、現在は江戸時代に実際に行われていた証拠がどこにもない偽史であることが明らかにされています。うその歴史が小学校で教えられるという、とんでもない事態が起こっていたのです。

このような事態を起こさないためにも、歴史的な事実とフィクションを分けて考えることが非常に大切です。

例えば、世の中には坂本龍馬ファンがたくさんいます。坂本龍馬が好きだといっている人のほとんどは、司馬遼太郎の小説『竜馬がゆく』を読み、主人公の活躍に胸を躍らせたからでしょう。

しかし、実在の坂本龍馬の明治維新に対する貢献度はほとんどゼロに近く、有名な船中八策という言葉自体も明治30年代になってはじめて出てくるものなのです。実際の歴史とは関係なく、司馬遼太郎の名文によって坂本龍馬は英雄になったのです。

呉座（ござ）勇一氏は、本能寺の変をはじめとする日本中世史における数々の陰謀・謀略を取り上げ、歴史学の手法で分析した『陰謀の日本中世史』（角川新書）で、世の中に流布するもっともらしい陰謀論、トンデモ説の類いを一刀両断に裁いています。

人々が日本史の陰謀に心を惹かれている以上、学界の人間も研究対象として正面から取り上げる必要があるのではないだろうか。前述のように、優れた在野の研究者は確かに存在するが、悪貨が良貨を駆逐するというか、自称「歴史研究家」が妄想を綴（つづ）ったものが大半を占めていることも、また事実である。それらの愚劣な本を読んで「歴史の真実」を知ったと勘違いしてしまう読者が生まれてしまうのは、憂慮すべき事態である。

（呉座勇一『陰謀の日本中世史』角川新書）

同書はフィクションと歴史的な事実を切り分けることの大切さを知るうえで、とても優れた本だと思います。

米国を反日化させた日露戦争戦後処理

事実を正直に伝えず、市民が誤った事実に基づいて考え判断したためにその後、かえって大きな問題を生じさせたという事態は歴史のなかで多くの実例があります。日本においては日露戦争の戦後処理がその典型例でしょう。

日露戦争は日本海海戦における完勝もあって日本が勝利したイメージがありますが、実際には引き分けでした。確かにロシアは局地戦では敗れましたが、国力からすればまだ十分戦争を継続できる能力がある一方、日本は兵站(へいたん)も尽きこれ以上は戦えない状況でした。

外務大臣の小村寿太郎(じゅたろう)はアメリカの助けを借りて日露戦争の講和会議をうまくまとめ、賠償金こそ取れなかったものの樺太の半分をもらい、泥沼化しそうな戦争をなんとか終結させました。

しかし日本の軍部は「これ以上戦うことはできないのでこの辺で停戦します」と正直にいう根性がなく、「勝った、勝った」といいまくったため、小村は「賠償金を取れないとは何事か」と市民から非難され、日比谷焼き討ち事件が起きてしまいました。

伊藤博文は日露戦争を始めるとき、すでに戦争の終わらせ方を計算して動いていました。ロシアと日本の国力差をよくわかっていた伊藤は、金子堅太郎という政治家をワシントンに送り込んでいました。

金子は岩倉使節団の一員としてハーバード大学に留学した経験があり、そのときにセオドア・ルーズヴェルトと無二の親友になっていました。伊藤は金子にロビー活動をさせて、ルーズヴェルト大統領に「いいところで仲裁してくれ」と頼み込んでいたのです。そしてルーズヴェルトは日本の意図した通り日本に有利な仲裁をしてくれたのですが、「賠償金を取れない仲裁をしたアメリカもけしからん」と日本では反米感情が芽生えるようになりました。

ルーズヴェルトにしてみれば「頼まれたから仲裁してやって、しかもえこひいきをしてやったのに逆恨みするとは、なんという恩知らずの国だ」という気持ちになります。日露戦争の戦後処理のまずさが、アメリカに反日感情を芽ばえさせてしまったのです。

「知ることは力なり」vs.「無知は力なり」

満洲事変の際に国際連盟が派遣したリットン調査団の報告書への対応をめぐっても、日本は世界の大きな流れを正しく理解できず、大きな誤りを犯しています。

満洲はもともと中国の領土であるにもかかわらず、日本軍はそこに満洲国をつくりまし

リットン調査団一行を犬養毅首相が官邸に招待。前列左よりリットン伯（イギリス）、1人おいて犬養首相

た。リットン調査団も歴史的に中国の領土で、過去に日本が満洲を獲得した歴史的事実もないので主権は中国にあるといっています。ただし、日本は満洲に権益をたくさん持ってしまったのだからある程度は認めてはいいのではないか、と。普通なら即刻出ていきなさいとなりそうなところですが、実は日本に対して非常に融和的な報告書を出していたのです。

ところが国連の採決で、リットン報告書に対して反対票を投じたのは日本だけでした。ヒトラーもムッソリーニも賛成しているのに、です。これほど日本にとって有利な報告書を蹴飛ばして、日本は開国を捨ててしまいました。

このとき日本首席全権として連盟総会に派

遣されたのは松岡洋右でした。のちに外務大臣になります。小村寿太郎とは人物として比べるまでもなく、また外務省の情報収集能力も落ちていたため、リットン調査団の報告書が日本に対して融和的であるという正常な判断ができなかったのです。

判断の誤りが国を破滅に追いやった最たる例が開戦時の首相、東条英機です。太平洋戦争がはじまる直前、日本の若手官僚が「アメリカとはGDPの差が3倍以上もあるので絶対勝てません」というレポートをあげたのに対し、東条は「戦争はGDPだけではない。精神力だ」と言い放ったといわれています。この時点で日本の没落が運命づけられてしまったのですから、指導者の「教養＝知識×考える力」がどれほど重要かを示しています。

以上のように指導者や市民が教養をもたず、歴史を見ることができないと、とんでもない過ちを犯してしまいます。

歴史は個々の出来事を単体で考えるのではなく、俯瞰的にとらえなければいけません。歴史は全部つながっているからです。ペリーがなぜ来航したかといえば中国市場をめぐる米英貿易戦争を背景としたアメリカの国益のためであり、それを抜きに日本で起きた騒動だけを追いかけても意味がありません。

つまり、日本の出来事も世界の歴史のなかに位置付ける視点を持たなければいけない。だから僕は「世界史から独立した日本史はない」と話しています。日本で起きたことも海外で起きたことも全部つながっているのですから。歴史は人類の５０００年史が一つあるだけなのです。

哲学者のフランシス・ベーコンは「知ることは力なり（Knowledge is power）」という言葉を残しています。この対句となるのがジョージ・オーウェルが小説『一九八四年』で書いた、ビッグ・ブラザーという全体主義的な政府のスローガン「無知は力なり（IGNORANCE IS STRENGTH）」です。

要するに、健全な市民が健全な社会を構成していくためには知ることが力になり、ヒトラーやスターリンのような専制的な世界の権力者が人民を支配するためには無知こそが力になるということです。

いい社会をつくっていくためには、やはり指導者はもちろんみんながよく考えて動いていくしかない。みんなが「教養＝知識×考える力」を養っていくことが、いい社会をつくっていくための基礎になるのです。

世の中はお金が回っていればだいたいうまくいく

本章の最後に、現代の国際情勢や現代社会についても少し触れておきましょう。

まず、視点の置き方について。

世の中や社会を見るときに、もっとも重要なポイントになるのは経済です。人間はお金がうまく回っていれば、だいたいハッピーになれます。多少不協和音があったとしても、世界の経済がちゃんと回っていれば、全体としてはうまくいきます。

この30年間の世界の平均成長率はおおむね3・5%くらいで推移してきました。そこで、大ざっぱにいえば3・5%くらいを目安にして、それ以上であれば世界の経済はまあまあうまくいっている、それ以下ならちょっとまずいというように、経済の大きな流れを見ることがとても大切です。

仕事があって、お金がうまく回っていれば、ブーブー不満はいいながらもみんなはなんとか生きていけます。

次に重要なポイントは、きちんとデータに基づいて世界を見ることです。『ファクトフルネス』という本がベストセラーになったのが象徴的ですが、その重要性はだんだん浸透してきたように思います。

残念なことに世の中では「実はこんなに大変な事態が起こっている」と悲観論や極論、陰謀論で人々を脅すほうが大きな反響を得られるので、そういう本や過度に悲観的なことを主張する人が後を絶ちません。しかし歴史を振り返れば悲観論は全敗していません。これは劇的な科学や技術の進歩を、人間のあまり賢くない脳みそでは想像できなかったからです。

ものすごくわかりやすい例をあげましょう。僕は子供の頃、三重県の山奥で育ちました。休みの日は父親に連れられて山に入って木を切って、それを乾かしてなたで割り、薪をつくってお風呂を沸かしたり、一部は炭にしたりして暖を取っていました。

そんな生活をおくっていたのですが、中学生の頃、石油ストーブが入ってきました。これで山に入って木を切り、薪をつくる必要がなくなり、めちゃ楽になりました。

文明ってすごいなと実感していたその時期に、中学校の社会の時間に先生が「石油はあと30年しかもちません」と教えてくれました。当時、14～15歳だった僕がそのとき思ったことは、「40歳を超えたらまた木を切らなければいけないのか……」ということでした。

ところが古希を超えたいま、石油が枯渇する気配は全くなく、木を切りに山に入ることも薪をつくることもせずに済んでいます。このように人間の頭で未来を予見することはなかなか難しいのです。

最後のポイントは、指導者です。本章で日本のかつての指導者の教養のなさによる判断の誤りが国の没落を招いたと指摘しましたが、指導者の良し悪しは社会に大きな影響を与えます。

指導者がいかに重要かを知るうえでは、バルカン半島の紛争が史上初の総力戦、第一次世界大戦へと展開する過程をまとめたクリストファー・クラークの『夢遊病者たち』という本がとても参考になります。この本は誰も戦争などやりたくないのに、みんなが優柔不断で愚かな小さい決定を繰り返していくうちに大戦争になっていく様子を描いた傑作です。

歴史にはこうした例がたくさんあります。しかも人間の脳はこの1万年ほど進化していませんから、過去の指導者の在り方や言動をきちんと見ておくことがとても重要です。

米中摩擦が米ソ冷戦の二の舞にならない理由

以上の視点を持って、現在の世界情勢について眺めてみましょう。

いま、国際関係で注目が集まっているのは、コロナウィルスの問題ももちろん大切ですが、何といってもハイテク・軍事覇権を賭けた米中貿易摩擦です。

名目GDPを見るとアメリカは中国よりも上ですが、購買力平価ベースのGDPでみると、中国はすでにアメリカを上回っており、もう既に米中の経済力はほぼ拮抗しているといえます。経済的にはすでにG2の世界に突入しており、歴史を振り返ってみるとナンバー1にナンバー2が肉薄すると、ナンバー1はナンバー2の頭を叩こうとするのが通例です。米中関係は基本的にこのような構図に則っています。

ただ、かつての米ソの冷戦の二の舞になるかといえば、僕はそうはならないと思います。その理由は2つあって、一つはアメリカと中国にはたくさんの人の交流があることです。アメリカとソ連の間にはほとんど人の交流がなく、その象徴がベルリンの壁でした。人の行き来がないということは当然、商売の関係もなく、冷戦時代は自由主義圏と共産主義圏がそれぞれ経済的に独立していました。

ところが、現在は中国からアメリカに行って学ぶ留学生数だけでもおよそ37万人。国境を超えた人的ネットワークが形成されています。東京大学の柳川範之教授は、キャッシュレス化が進みスタートアップ企業が集まる中国の深圳（しんせん）や杭州（こうしゅう）には、アメリカで教育を受け、博士号を取得して中国に帰国した人材が少なくないと指摘し、次のように述べています。

> 実は深圳とシリコンバレーとの人的・資金的面での結びつきは意外と強く、それはワシントンと北京との間の貿易戦争を見ていたのではなかなか把握できない。やや大げさな言い方をすれば、深圳と北京、シリコンバレーとワシントンとの距離よりも、深圳とシリコンバレーとの距離のほうが、ずっと近いのだ。（柳川範之「国の枠超えつながる人々　政策・経営戦略も再考必要」2018年7月17日　日本経済新聞）

このような動きをみれば、アメリカと中国の結びつきは非常に強いことがわかります。それを全部断ち切って、どこかにベルリンの壁のようなものをつくることは難しいでしょう。

実は一致している米中の利害

もう一つの理由は、よく考えてみると現在の世界秩序は中国にとってとても都合がいいことです。

第二次世界大戦後の世界秩序は、戦争に勝利した連合国のうち主要5ヵ国が国連の安全保障理事会の常任理事国として拒否権を持つ体制で運営されてきました。この5大国の順位は実質的には経済力で決まりますから、現在の世界体制は自ずとアメリカと中国のG2ということになります。

2016年、IMFが人民元を特別引出権（SDR）通貨バスケットに採用したのはその象徴です。特別引出権とは加盟国の準備資産を補完する手段としてIMFが創設した国際準備資産で、中国人民元は米ドル、ユーロ、日本円、スターリングポンドの4通貨に続く5番目の採用通貨となりました。これは国際貿易で中国の役割が拡大し、国際的な人民元の利用や取引が非常に増加したことを反映しています。

一方、いまの中国に世界の警察官の役割は果たせません。空母を保有するようになってはいますがまだ十分機能する水準にはなく、アメリカのように世界のどこにでも展開できる体制にはなっていません。

だからアメリカに世界の警察官の役割を果たしてもらいながら、自分たちはひたすら経済に力を入れるほうが中国にとっては都合がいいのです。そう考えると中国は新しい世界秩序は求めておらず、アメリカと中国の利害はベーシックなところでは一致していると思います。

実際、最近の米中の動向を見ていると、アメリカはトランプ大統領が先頭に立ってツイッターでどんどん中国を非難する一方、中国側は非難されたら必ず言い返してはいますが、主にその役割を担っているのは外務省の報道官など比較的地位の低い人たちで、習近平主席や李克強首相はトランプ大統領のようにアメリカを罵ったりはしていません。つまり、中国側の対応はかなり自制的なのです。

もちろん世界のナンバー1とナンバー2が報復的に関税をとことんかけあうと大変な事態になってしまいますが、米ソ冷戦時代のキューバ危機のような一触即発の危機的な状況には陥らないのではないかと思います。

もし中国が自制的な姿勢を失い、両国の指導者がカッカし始めたらかなりまずい事態が生じるかもしれませんが、密接な経済関係を十分考慮したうえで今のところ、中国は売られた喧嘩に冷静に対処しています。何より、中国の官僚はハーバード大学やマサチューセッツ工科大学といったアメリカのトップ大学で勉強したエリート揃いで、アメリカの実力をよく知っています。東条英機のように国力の差を無視し、精神力に頼って戦争を始めるような人はおそらくいないでしょう。

これから世界を牽引する地域はどこか

ＥＵに目を向けると、連合王国のＥＵ離脱問題、いわゆるブレグジットがあります。２０２０年1月に連合王国はＥＵから離脱しました。しかし、ほとんどすべてのエコノミストが残留したケースに比べＧＤＰは確実に小さくなるとの予測を立てています。

経済合理性から考えれば、ＥＵに残ったほうが得なのは明らかです。しかし誇り高い連合王国の人々が、「なぜブリュッセルのＥＵ官僚の言いなりにならなければいけないのだ」とジョンブル魂を発揮してしまったわけです。

僕は50年単位でみたら連合王国はＥＵに戻ると思っています。なぜなら、連合王国は大陸との交易で豊かになってきた歴史を持っているからです。離脱したら損をするからです。どんな国であっても長期的に見たら、わざわざ貧しくなる道は選びません。

ＥＵはいろいろな要因で揺れはするものの、バラバラになることはないでしょう。ＥＵ

の根幹は独仏同盟です。フランスのド・ゴール大統領と西ドイツのアデナウアー首相が胸襟を開いて話し合い、調印したエリゼ条約が元になっています。

「俺たちは普仏戦争、第一次世界大戦、第二次世界大戦とこの１００年間に３回殴り合った。死力を尽くして戦った結果、俺たち欧州勢の力は低下し、遠くのソ連とアメリカが大きな顔をするようになった。戦って誰が得をしたかといえばソ連とアメリカだ。こんな馬鹿馬鹿しいことはないので、これからは仲良くして、もうこれ以上よその奴らに大きな顔をさせるのはやめよう」

２人が話し合って締結したエリゼ条約の趣旨はこのようなものです。

さらに２０１９年、フランスのマクロン大統領とドイツのメルケル首相はアーヘン条約に調印し、エリゼ条約をさらに強化しました。独仏関係が安泰である限り、ＥＵはびくともしないでしょう。なぜならＥＵがバラバラになると、得をするのはＥＵ以外の国であることを独仏首脳はよくわかっているからです。

新興諸国に目を向けると、これから注目すべき地域はアフリカです。あと30年くらいでアフリカの人口はアジアの人口とほぼ一緒になると予測されています。

アフリカで一番の人口大国であるナイジェリアがイスラム過激派との間で内戦状態になっているなど心配な要素や課題は多々ありますが、今後はアフリカの国々の成長と安定が国際的に見て極めて重要なイシューであり、長い目で見るとアフリカがいかにサステイナブルに発展していくかが世界の命運を握ると思います。

中国はかなり以前からアフリカを重視し、進出のためにさまざまな手を打っています。それは深刻な摩擦も引き起こしていますが、中国が国家百年の計に立ち長期的な視点を持っていることの現れでしょう。

アフリカ以外の地域では、アジアではインド、パキスタン、バングラデシュ、インドネシア、ベトナムなどで人口の増加が目立ちます。それらの多くはイスラム圏です。南米も人口が増加します。これから世界を牽引するのは、アフリカとこうした地域になるでしょう。人口はAIやIoTの時代になっても、なお力のバロメーターなのです。

一方、日本では人口が減少していきます。人口が減って栄えた国や地域はありません。「次世代のために生きる」という本書の視点からも、この問題については官民をあげて真剣に取り組んでいく必要があります。

【参考文献・資料】

半藤一利、出口治明『明治維新とは何だったのか』祥伝社
出口治明『全世界史（下）』新潮文庫

ＡＦＰ「スペイン・ハプスブルク家、断絶の原因は〈近親婚〉か　研究結果」２００９年４月16日
https://www.afpbb.com/articles/-/2592887
出口治明『人生の教養が身につく名言集』三笠書房
呉座勇一「江戸しぐさが好きな人ほど陰謀論にハマる」プレジデントオンライン
https://president.jp/articles/-/25271
呉座勇一『陰謀の日本中世史』角川新書
出口治明「本能寺の変に〝黒幕〟はいたのか　日本史の陰謀論を論破する」週刊文春２０１８年４月12日号
https://bunshun.jp/articles/-/6912
半藤一利、出口治明『世界史としての日本史』小学館新書
柳川範之「国の枠超えつながる人々　政策・経営戦略も再考必要」２０１８年７月17日　日本経済新聞
国際通貨基金「ＩＭＦ、中国人民元を特別引出権バスケットに採用」
https://www.imf.org/ja/News/Articles/2016/09/29/AM16-NA093016IMF-Adds-Chinese-Renminbi-to-Special-Drawing-Rights-Basket
日本経済新聞「英国民投票、若年層は大半が『残留』　世代間で意識に違い」２０１６年６月25日
https://www.nikkei.com/article/DGXLASGM25H59_V20C16A6FF8000/
日本経済新聞「独仏、欧州統合強化へ新条約」２０１９年１月22日
https://www.nikkei.com/article/DGXMZO40321500S9A120C1FF8000/

第五章

持続可能性の高い社会を子供たちに残すために

男女差別が日本を衰退させている

次世代のため、社会の持続可能性を考えると、少子化対策は必要不可欠です。国立社会保障・人口問題研究所の「日本の将来推計人口（平成29年推計）」では、総人口は2015年の1億2709万人から2065年には8808万人に減少するという推計を出しています（出生中位、死亡中位推計）。およそ3割の人口減です。

3割も人口が減ったら企業の売上は減少し、多くの企業やお店は潰れてしまうでしょう。人口減少問題への対応は、日本にとって極めて重要な課題です。総合的に判断して少なくとも1億人の人口が必要だという政府の方針は間違っていないと思います。

人口減少の一番の原因は何かといえば、出生率の低さです。なぜ日本は出生率が低いのか。それは根底に男女差別が存在し、育児のみならず家事、介護が全部女性の手に委ねられているからです。こんなに多くの負担を押し付けられて、誰が赤ちゃんをたくさん産もうと思うでしょうか。

ある若い女性がフェイスブックに投稿した、次のような話があります。

最近は子連れ出勤ＯＫの会社が増えていて、赤ちゃんを職場に連れていけるようになっている。赤ちゃんが泣いて仕事の邪魔になるのではと思いきや、むしろ生産性は高まる。なぜなら授乳サイクルと脳が仕事に集中できる時間は2時間でほぼ一致しているので、授乳して、仕事に集中して、また授乳するというサイクルは頭を使う仕事に合っていてまったく邪魔にならない——。

このような内容の記事を読んだ夫が、「お前、本当に赤ちゃんを職場に連れていけるか」と聞いてきたので、その女性は次のように言い返しました。「あなたが職場に連れていくのよ」。夫は「俺が連れていくのか！」と仰天し、その女性は大いに反省したそうです。いままで夫を甘やかしすぎていた。今日からしばき倒して子育てさせなければいけない、と。

この女性の夫に悪気はないのでしょうが、無意識に育児、家事、介護は女性がやるものだという思い込みが刷り込まれているわけです。男性はそれを手伝えばいいだけだと。しかし、手伝うという発想自体が、育児、家事、介護は本来、女性が担うものだという偏見の上に立脚しているのです。この思い込みが日本の男女差別の根源にあります。

男女差別をなくすには、第二章で触れたクオータ制の導入が一番です。時限立法的なクオータ制を徹底して導入すれば、男女差別は解消の方向に向かいます。

ところが、クオータ制の導入には反対する学者もいます。その主張は「若い女性にアンケートをとってみると、管理職にはなりたくない、専業主婦になりたいという人がたくさ

社会人類学者、レヴィ＝ストロース

んいる。だからクオータ制は現実離れしている」といったものです。

しかし、そうした学者はクロード・レヴィ＝ストロースを知らない不勉強な人です。レヴィ＝ストロースが人間の意識は社会構造がつくると指摘しているように、育児も家事も介護も全部女性に押し付けられ、男はそれが当然だと思っている社会に育った女性が、「管理職になっても辛い思いをするだけ」、「専業主婦のほうが楽でいい」と考えるのはごく当たり前のことです。

社会構造が意識をつくるのですから、先に男女差別をなくさない限り、少子化問題の解決も社会の進歩もありません。

男女差別をなくして出生率をあげようというと、「若い女性の実数を考えれば、出生率をあげたくらいで子供は増えない。だから移民を受け入れるしかない」という反論が飛んできます。しかし、これも不勉強な話です。

確かに、短期的に見れば若い女性の人口が減っているので、出生率を上げてもそれほど人口は増えません。でも長期的に見ると、移民を受け入れたところで赤ちゃんを産みにくい男女差別のある社会では、移民も赤ちゃんを産みません。結局、男女差別にメスを入れなければ、人口は減るばかりで社会は衰退していくしかないのです。

男性が子育てすると家族愛が高まる科学的理由

科学的な見地から見て良い家族関係をつくるうえで、男性の子育てには大きなメリットがあります。子供や家族への愛の正体は何かというと、オキシトシンというホルモンにあり、その分泌を促進するためには子育てを行うしかないからです。

人間は他の動物に比べ、2つの宿命を背負っています。一つは脳の発達で、もう一つは二足歩行です。

脳が大きく、かつ二足歩行で骨盤が小さくなった人間は、赤ちゃんが母親の産道を通ることが難しくなりました。この問題をクリアするには、赤ちゃんがまだ大きくならないうちに産むしかありません。

多くの動物の赤ちゃんは生まれてから短時間で歩けるようになり、親と一緒に行動します。しかし人間の生まれたばかりの赤ちゃんは、歩くことはもちろん立ち上がることもできません。未熟児すれすれで生まれてくるのだから当然です。早産で生まれてくる赤ちゃんにとってリスクが大きいのは、人間は正常分娩であっても未熟児すれすれだからです。

未熟児すれすれで生まれる人間の赤ちゃんは生まれた直後、すぐ近くにいるお母さんが世話をしないと、すぐに死んでしまいます。そこで女性は出産時に、オキシトシンというホルモンが大量に分泌されます。これが分泌されると、人は優しい気持ちや幸せな気持ちになります。

これが母性愛の正体で、人類は自然淘汰のなかでオキシトシンを分泌する個体だけが生き残り現在に至っているのです。

男性もおしめを替えたりベビーマッサージをしたりと赤ちゃんの世話をしているうちに、オキシトシンが分泌されます。最低でも1~2ヵ月赤ちゃんの面倒をみるとオキシトシンが女性とほぼ等しく出ることがわかっています。

したがって、良い家族関係をつくるには男性が赤ちゃんの世話をすることが不可欠です。男性も育児休暇をとって、女性任せにせず自分で子育てをしなければならないのです。

最近は男性の育児休暇取得を奨励する企業も増えてきました。ただひどい企業は全男性に1日の育児休暇を取らせて「うちの会社は男性の育児休暇取得率100%です」とIRに使ったりしています。

しかし、たった1日だけ育児休暇をとったところでオキシトシンは出ないわけですから意味がありません。育児休暇は、最低でも1～2ヵ月は取得させなければなりません。最近、政府は国家公務員の男性の育休の基準を1ヵ月以上に引き上げましたが、これは科学的根拠に基づいているのです。

女性は放っておいてもオキシトシンが出るので、母性愛が発揮されます。男性は自分で子供のおしめを替えてこそ、家族愛が高まります。赤ちゃんが可愛いから面倒をみるのではなく、面倒をみるから赤ちゃんが可愛くなってくるのです。

また、養子縁組についても触れておきましょう。

日本ではペットを飼い、可愛がっている人がたくさんいます。それは世界でも同様で、動物が好きなのはいいことだと思います。

ただペットを飼う人は世界と同じように多いのに、なぜか養子を迎える人はとても少ない。アメリカではハリウッドのセレブが世界中から子供たちを引き取って養育しているニュースがよく報じられます。たとえばアンジェリーナ・ジョリーはカンボジアやエチオピア、ベトナムから、マドンナはマラウイから養子を迎えています。セレブだけではなく、一般の人たちでも養子を迎えることは珍しくありません。

ところが、日本ではこうした話をあまり聞きません。人間がいちばん育てるのに向いている動物は、人間です。世界の人たちは子供が生まれなかったら、あるいは独り身だったら、可愛い子供たちを引き取って育てています。実子がいても養子を迎える人もいます。日本でそうした養子縁組があまりみられないのは、少し異様な気がします。

養子縁組の増加は子供たちにとっても実の親にとっても、里親にとってもいい話です。もちろん社会にとっても少子化対策に貢献するのでいいこと尽くめではありませんか。

赤ちゃんを産んでも女性が経済的に困らない仕組み

日本政府は人口1億人の維持と希望出生率1・8を目標として掲げています。これはマストの数字でしょう。

ではどうやって実現するのかを考えるとき、大いに参考になるのがフランスの取り組みです。フランスでは1994年からの10年あまりで合計特殊出生率を1・66から2以上にまで引き上げました。

当時のシラク大統領は「シラク3原則」を定めて、赤ちゃんを産んでも女性が経済的に困らない骨太の仕組みを構築しました。

一つ目の原則は、子供を持つ・持たないは女性が自由に決めればいい。ただし、女性が産みたい時期とその女性の経済状況が必ずしも一致するわけではないので、その差は自治体が負担する、例えば子供が多くなるほど多くの補助金を出すようにしました。要するに、赤ちゃんを何人産んでも女性が経済的に困らないようにしたのです。

二つ目は、保育園の充実です。保育園の待機児童がゼロになるよう、自治体の責任で保育園を整備させました。

そして三つ目が、育児休暇をとった後、復職するときは元のポジションで仕事ができるようにしたことです。つまり、ランクダウンやキャリアの中断を法で禁止したのです。これなら安心して育児休暇をとれるようになります。

フランスではこれらの3原則に加えて、婚外子を差別しないPACS（民事連帯契約）を導入しました。これらの政策により、フランスの女性は出産、子育て、就労に関して本人が自由に選べる環境が整備されたのです。そこでフランスでは仕事を持つ女性のほうが専業主婦より一生に数多くの子供を産むようになったのです。

仕組みを変えれば意識も変わります。逆に政治家が女性に「子供を産むべきだ」と、精神論で強要したところで何も変わりません。わが国でも、シラク3原則をそのまま適用すれば間違いなく出生率は改善するでしょう。

先日、経営コンサルタントの人が次のようなことを話していました。

「日本の管理職研修でマネジメントの話を聞くと、ドラッカーやコトラーの話をするのはマシなほうで、多くはがんばりが大事だとか『報・連・相』が大事だといった、あまり根拠のない精神論に終始する。しかしアメリカの学会に行くと脳の仕組みなどの科学的研究に基づき、どのような仕組みをつくれば人間は気持ちよく働けるか、生産性が上げられるかなどについて議論している。精神論とサイエンスの戦いになっているのだから、日本は勝てるはずがない」

あるいは「欧米の強欲な資本主義に対し、日本は『三方良し』の精神をいまこそ発揮すべきだ」という類いの話をする人もよくいますが、日本のやり方が優れているのだったら現在の長期的な経済低迷は招いていないはずです。例えば、日本とヨーロッパを比べると2000時間労働で1％成長 vs. 1500時間以下の労働で2％成長というのがこの四半世紀の結果です。ここから出てくる答えは、日本はマネジメントがなっていない以外の解はありません。何事も根拠なき精神論に頼るやり方から、早く脱却しなければいけません。

因みに、社員の研修等を司る人事部門の皆さんには、最低限、入山章栄『世界標準の経営理論』ぐらいは読んでおいてほしいと思います。根拠なき精神論から脱却するために。

社会保障と税の一体改革は必要不可欠

社会の持続可能性を考えるとき、政府の財政構造も大きな課題です。

2020年度の一般会計予算をみると、歳出総額は約103兆円。その中でもっとも大きいのが「社会保障関係費」でおよそ36兆円、国債費を除いた政策経費約79兆円のうち45％を占めています。社会保障関係費とは医療や介護、公的年金保険など福祉のための費用で、少子高齢化にともない日本では社会保障関係費が増え続けています。次が地方交付税交付金等の約16兆円、公共事業費の約7兆円、文教科学費約6兆円、防衛費約5兆円と続きます。

一方、入ってくるお金を見てみましょう。政府予算は歳出を決めてからお金の調達を考えるので、歳出と歳入は常に一致します。そのうち、税収は約64兆円で全体の62％に過ぎません。税金等で足りない分はどうしているかというと「公債金」、つまり新規国債の発行でカバーしています。公債金は約33兆円で、歳入の32％を占めています。

日本の財政構造は歳出が税収をはるかに上回る状況が続いており、足りない分は借金である国債でまかなっています。このような状態でも国の財政が何とか回っているのは、経常収支が黒字を維持しているため、国債を大量に発行しても国内で引き受けられるからです。

過去にデフォルトを引き起こした国は、主に海外からお金を借りていました。このため信用を失い新たに外国からお金を借りられなくなると、デフォルトが発生してしまったのです。

日本がそうならないためには、経常収支の黒字が続いているうちに財政を立て直すしかありません。第二次世界大戦での敗戦後、日本と同じように瓦礫の山の中から国土の再建を果たしたドイツは既に財政黒字を回復しています。それには先ず国債発行に伴う収支を除いたプライマリーバランス（基礎的財政収支）をプラスに回復する必要があり、社会保障と税（つまり給付と負担）の一体改革が不可欠です。

日本の社会保障は「小負担・中給付」

政府の基本的な役割は税金や社会保険料（特別目的税の一種と考えられます）で必要な費用をみんなから集め、公共財や公共サービスを提供して、困っている人や弱者を助けるために再分配を行うことです。

つまり国民に対する社会保障支出などの給付は税金などの負担によって賄われています。この原則を踏まえれば、給付より負担のほうが大きくなることがわかります。なぜなら給付を行う主体である政府や地方公共団体を運営するオペレーション・コストがかかるからです。このオペレーション・コストをミニマムにしようとするのがいわゆる「小さい政府」論で、負担の大小とは関係がありません。この原則から明らかなのは、より多くの給付を受けたければ、たくさん負担するしかないということです。

つまり、公的年金保険をはじめとする社会保障給付を手厚くしようと思ったら、負担を増やすしかありません。

では日本の負担と給付の関係はどのくらいの水準にあるのか、データで確かめてみましょう。国民負担率（対国民所得）の国際比較をみると、他のOECD諸国と比べ国民負担率は低く、給付の大半を占める社会保障支出（対GDP）の国際比較ではOECDの平均よりやや高くなっています。

政府の仕組み

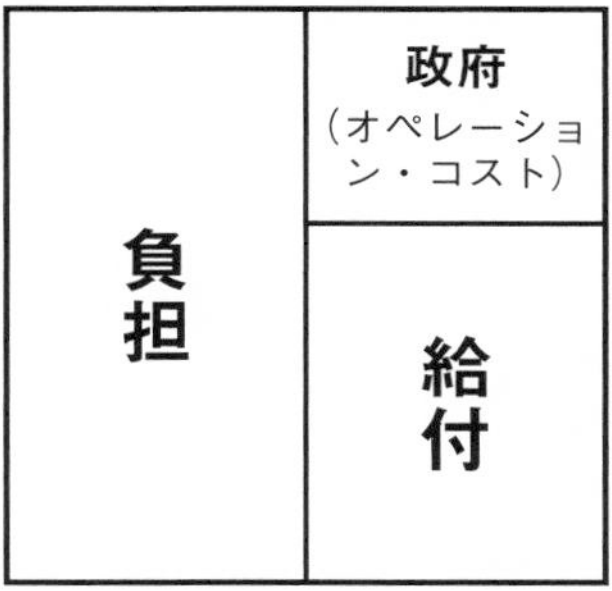

負担	政府（オペレーション・コスト）
	給付

つまり、日本は「小負担・中給付」の政府であり、しかも高齢化が進むにつれ給付は増加しますから、必然的に赤字が累増する構造になっているのです。これでは財政がもつはずがないので、持続可能性を考えれば増税が必要となります。

本書を執筆している時点で日本の消費税率は10％。EU諸国の消費税率は20～25％です。消費税率を15％程度に上げ「中負担・中給付」の国にして、現在の給付水準を維持するか、EU諸国のレベルまで消費税率を上げて「大負担・大給付」の国にするか、構造的に考えれば、日本の選択肢はこの2つしかないのです。

しかし、増税は不人気な政策なので、政治家のマヌーバ（策略）で先送りされています。これはどの国でも同じです。では他の先進国はどうやって財政の立て直しを行ってきたかというと2つのパターンがあります。一つはドイツ型で、増税は大連立で行う、即ち増税を選挙の争点にしないというやり方です。わが国では野田佳彦内閣の時の3党合意で試みられました。歴史的に見れば、減税を選挙の争点にするのは、たいていの場合、ポピュリズムと相場が決まっています。もう一つは連合王国型で、新たな政策を通すときその財源（増税）をセットで通してしまうやり方です。つまり、税は選挙では争わない、争うのは政策のみという考え方です。

「高齢者が有権者の多数を占めるシルバー民主主義のなかで、負担と給付の一体改革はできない」という人もいますが、僕はそうは思いません。おじいさん、おばあさんに「あなたのいまの年金とお孫さんの授業料、どちらが大事ですか」と質問したら、「孫の授業料」と答える人が大半でしょう。

つまり日本の財政や増税に関する問題はテーマ設定の仕方にも大きな問題があると思います。もちろん、増税や社会保障の領域に切り込むと、条件反射的に「社会福祉を削ろうとしているとんでもない人たちだ」というマヌーバに走ってしまう政治家やメディアのレベルの低さにも問題があるのです。

社会保障というセーフティネットを自ら壊してはいけない

「年金保険料を払っても損をする」「親の世代に比べ自分たちがもらえる年金は少なくなるので不公平である」などといった議論をメディアで見かけますが、これも悲しいほどレベルが低い議論です。

国民年金保険（基礎年金）には、国が給付の半分に相当するお金を補塡してくれます。簡単に述べれば100円払ったら国が100円つけてくれるわけですから、損をするどころかこんなに有利な金融商品はほかにはありません。

もう一つの、「昔に比べると受け取れる年金が減る」というのは、社会の変化をみれば当たり前の話です。

僕が日本生命に入社したとき、労働組合が配ってくれたペーパーがありました。そこには生涯給与の試算金額が書いてあり、その試算は55歳で部長になっていることが前提になっていました。これを見て住宅の購入などの生涯設計をしなさい、というわけです。

ところが数年後に配られたペーパーでは、55歳で部長ではなく、課長になるモデルに変更されていました。その理由は簡単で、どんどん採用して社員が増える一方、部長ポストはそれほど増えなかったからです。

では「先輩たちは部長になれて生涯給与もこんなにもらえたのに、自分たちは課長にしかなれず生涯給与も減る。こんな世代間の不公平は許せない」と主張する人がいたらどうなるでしょう。おそらく鼻つまみ者になるのではないでしょうか。誰が考えても、時代の変化で会社組織の構造が変わったのだから仕方がない、としかいいようがありません。

公的年金保険も社会構造が変わり、高齢者が増えて若者が少なくなっているのだから、昔に比べたら給付額が減るのは当たり前なのです。

ましてや「公的年金保険は破綻する。社会保険料を払うより、自分で預金したり民間の保険に入ったりするほうがいい」という主張などは、デマゴーグの極みそのものです。第二章で指摘した通り公的年金保険は政府の仕組みそのものであり、市民がいる限り破綻することはありません。

そもそも社会保険、すなわち公的年金保険や健康保険は何かといえば、人々を守るセーフティネットです。サーカスで網が張ってあるから空中ブランコに挑戦できるように、人々に万が一のことがあっても、ある程度の生活ができるようサポートするのが社会保険の役割です。社会保険がなかったら、誰も空中ブランコに挑戦する人はいなくなってしまうでしょう。自分も助けるかわり、困ったときは自分も助けてもらう仕組みが社会保険なのです。

もし公的年金保険と健康保険に入っていないまま年を取ったらどうなるか。他の家族がその人の面倒をみるしかありません。その負担は非常に重くなります。婚約者から「うちの両親、公的年金保険も健康保険も入っていないんだ」と打ち明けられたら、とても恐ろしい思いをするでしょう。

社会保険がセーフティネットであると理解していれば「年金保険料を払わない」などという選択肢はあり得ませんし、ましてやアジテートしている人は非常に問題があるといわざるを得ません。

重要なのは経済成長と良い政府

もし、自分が将来もらえる年金の額を増やしたかったら、方法は2つです。前述したように給付は負担によって賄われるので、負担を増やせばいい。負担を増やすには、社会保険料率自体を引き上げるか、社会保険料率は据え置いたままで、社会全体を成長させ、たくさん稼いで給与を上げることのどちらかが必要です。つまり、経済成長率を引き上げることが肝になるのです。

加えて重要なことは、税金や社会保険料で集めたお金を上手に再分配できる政府をつくることです。

年金の世界的権威であるロンドン・スクール・オブ・エコノミクスのニコラス・バー教授は「将来の年金を担保するのは経済成長と良い政府だけ」と指摘しています。つまり、成長したらみんなに配分するパイが増え、上手にパイを分けられる政府をつくれば適切に配れます。これは日本に限らず、世界共通の年金の大原則です。

世界的な傾向として、経済の二極化に焦点があてられることが多いのですが、人間の能力には差があるので、二極化は何もいまに始まったことではありません。そんなことで大騒ぎするより重要なのは経済成長をすることと、政府が上手に再分配を行って健全な中産階級を育てていくことです。

諸葛孔明が最低のリーダーである理由

歴史を振り返ってみても、優れたリーダーはやはり経済の成長に貢献した人です。

例えば、日本の中世で高く評価できるのは平清盛や足利義満、戦国期なら織田信長です。

平清盛は日本に初めて貨幣経済を導入した人です。それまでの日本には貨幣経済そのものがなかったのですが、お金がなかったら経済がうまく回らないということで宋銭を本格的に導入し、貨幣経済の基礎を築いたのです。

平清盛はとても合理的な人で、当時は高いお金を払ってお坊さんに雨が降るよう拝んでもらっていましたが、「坊さんが祈ったくらいで雨は降らない」と考えられる人でした。また神戸の大輪田泊（おおわだのとまり）をつくるとき、難工事でうまくいかなかったため「人柱を立てたらどうか」という声があがったときは、「人柱になる人がかわいそうだ」といってやめさせました。

成長や商売を本気で考えていた平清盛は、日本の大恩人の一人に数えられると思います。因みに武家政権を日本で初めて樹立したのも平清盛です。

足利義満も明と勘合貿易を行って室町幕府の最盛期を現出させ、織田信長は貿易の奨励や関所の撤廃、楽市・楽座の設置といった政策で経済を盛んにしました。

3人に共通するのは商売や交易こそが社会の基本であるという認識があり、冷静に世界を見て大きな政策を考えることができたことです。

商売というと豊臣秀吉を思い起こす人もいるかもしれませんが、豊臣秀吉が実行したのは織田信長が考えたことです。その意味では信長と秀吉の関係はカエサルとアウグストゥスの関係に似ています。そして徳川家康は2人がやったことをほとんどそのまま引き継ぎました。

ちなみに戦国の三傑のなかで僕が仕えるとしたら、断トツで信長です。信長は話せばわかる人なので、機嫌がいいときに話せばいい。仮に逆鱗(げきりん)に触れても、せいぜい高野山追放ぐらいで済みます。謀反を起こさない限り命はとられません。

秀吉は怒ったら一族郎党皆殺しにされるので、僕は仕えたくはありません。家康は何を考えているかよくわからないうえに、新しいことにはあまり興味がなさそうなので、仕える上司としてはあまり面白くない。

世界に目を向ければ、モンゴル帝国の第5代カアンで中国全土を支配下におさめ、大元ウルスの最盛期を築いたクビライも商業や交易を重視したすばらしいリーダーです。陸と海の道を整備して東西の交易を盛んにし、グローバリゼーションを実現させたのです。『東方見聞録』で知られるマルコ・ポーロ（と呼ばれる誰か）が中国を訪れたのも、クビライの時代でした。

リーダーの責務は何といっても民衆にご飯を食べさせることですから、経済を盛んにして市民にご飯を食べさせた人が偉いのです。

その意味で最低の政治家の一人は、三国志で人気のある諸葛孔明(しょかつこうめい)です。魏呉蜀(ぎごしょく)の三国を比べると魏は呉のおよそ2倍、呉は蜀の2倍で、魏と蜀の国力は4倍以上もの開きがありました。圧倒的な大国の魏に対して、劉備（りゅうび）の遺志という名分で蜀の孔明は何度も何度も北伐を仕掛けました。

その結果、勝てない戦争に引っ張られて蜀の若者はどんどん死んで、国は貧しくなっていきました。

おそらく孔明は、魏に勝てないことがわかっていたと思います。ただ中国は文の国ですから、将来に書かれる歴史書のなかで、先帝である劉備の忠義の士として名を残したかったのではないか。歴史のなかに高名を残したかったのだと思います。

孔明は人間的には立派な人だったかもしれませんが、市民にとってこれほど迷惑なリーダーはいません。自分の将来の売名のために夫や子供が戦争に駆り出され、どんどん死んでいくのですから。もし当時、総選挙があったら孔明は一回の総選挙で政権を失っていたことでしょう。

良いリーダーと良い政府は市民がつくる

過去の歴史を振り返れば、どのようなリーダーが良いリーダーで、悪いリーダーはどんなリーダーかは明らかです。イデオロギーや宗教的な信念で人々を引っ張るのではなく、きちんと市民にご飯を食べさせてくれる人が良いリーダーです。

商業や交易を盛んにして社会を成長させ、それを上手に分配してくれたらみんなが喜びます。政治はそれが基本です。あまり難しく考える必要はありません。

別に私腹を少しぐらい肥やしてもいいと思います（もっとも、僕の敬愛する大久保利通は、私財を公費に投じ死後に借金を残しましたが）。私腹を肥やす以上の儲けを社会に還元し、みんなが儲かるような仕組みを構築できるのであれば。これはアメリカの経営者の論理で、要は100億円儲けたら10億円もらっても構わないだろうという考え方です。

GAFAなどの経営者は日本では考えられないレベルの高給をもらっていますが、社会に対する寄付もケタ違いですし、社員の平均年俸も軽く1000万円を超えるようなレベルです。経営者が高給を取っても、こうした企業は社員の満足度がとても高くなります。

逆に、儲けられない経営者が高給をもらっていたら大問題です。さらに社員を最低賃金で働かせて、自分だけ高給をもらっているような経営者は論外でしょう。

では、良いリーダーを選ぶにはどうすればいいか。

第一章で「リーダーは育成できない」と述べた通り、誰でも教育すればリーダーになれるわけではありません。中学や高校の運動部ではどうやって次の主将を選んでいましたか。自ずとみんなが彼もしくは彼女を中心に来年のチームを作ろうと一致したのではありませんか。要は適性がすべてです。それと同じではありませんか。

そのうえで、政治家についてはみんなが選挙に行って投票することです。孔明の時代とは異なり、私たちは政治家を選挙で選ぶことができます。きちんと経済を成長させ、上手に分配できる政府をつくることができそうな政治家を選出することが重要です。

もし実現不可能な政策を提言したり、どう考えても人々を不幸にするようなヘイトスピーチを行ったりするような政治家がいれば、例えばその情報をインターネットで拡散するなどして次の選挙でみんなで落とせばいいのです。

プロ野球解説者の江本孟紀（たけのり）さんは阪神の選手時代、「ベンチがアホやから野球でけへん」という名ゼリフを述べたといわれています。まさにその通りでリーダーが間違いを犯すと多くの市民が大変な迷惑を被ります。第一次世界大戦の教訓から、戦争は総力戦の時代に入ったとわかっているのに、東条英機のように「GDPが3倍でもやってみなければわからない」と精神論に走るような人が国のリーダーだと、第二次世界大戦のような悲劇を招くわけです。

日本では政治や経済に関し、居酒屋などで難しい議論を戦わせている人たちをよく見かけます。政治や経済に対する市民の関心は、決して低くないと思います。ところが、実際に選挙をやってみると投票率が50％前後と非常に低い。投票率が低いと後援会（≒既得権益者）に推されている世襲議員に有利になり、新しい人たちの政治参入が難しくなってしまいます。これでは改革が行われず、既得権益が維持されるだけです。

良い政府をつくるのは、選挙権を持っている皆さんです。ぜひ選挙に行って投票してください。政府と市民は対立するものではなく、政府は私たちが選挙を通じてつくっていくものなのです。

精神論を排除し数字・ファクト・ロジックで語る

良い社会をつくっていくうえで、もう一つ意識しておきたいことは、議論やコミュニケーションのやり方がとても大事だということです。

議論をする、あるいはコミュニケーションをとるときのベースになるものは、「数字・ファクト・ロジック」です。極論すればそれ以外に方法はありません。しかし、残念ながら世の中では根拠なき精神論や、エビデンスではなくエピソードを延々と述べる議論がまかり通っています。これらがなぜいけないのかというと、まともな議論やコミュニケーションが成立しないからです。

「私は巨人が好きだ。巨人は素晴らしい」

「いや、私は阪神がいい。阪神は最高だ」

飲み屋でのチャットならこれでいいでしょう。しかし、良い社会をつくるためにどうするか、あるいはビジネスで成果を出すには何をすればいいのかといった議論を行うときに、こういう類いのやり取りをしていても絶対に前には進みません。

「こうするべきだ。なぜならこういうエピソードがあったから（ある店ではこうしたらよく売れた、など）」

「いや、こちらのほうがいいと思う。なぜなら次のような別のエピソードがあったから」

これでは何の議論にもなっていません。でも実際にはこのようなデータ（エビデンス）、即ち数字もファクトもロジックもない、議論にならない議論が行われている現実があります。

何度も繰り返しますが、このような事態が生じているのは、日本の社会が全体的に低学歴の構造になっているからです。大学進学率がＯＥＣＤ平均より7ポイントも低く、大学に行っても勉強せず（企業の採用基準に成績が入っていないので学生が勉強するはずがない）、大学院生を大事にせず、社会人になったら長時間労働で「飯・風呂・寝る」の生活に終始する。これではいつ勉強するのでしょう。社会全体が低学歴だから、根拠なき精神論でも「そういうものか」と耳を傾け、ついつい受け入れてしまうのです。

近年、テレビなどで「日本はすごい」などという内容のコンテンツが多く見られるようになりました。世界において日本は、あるいは日本人は特別な存在であるというわけです。でも、国や人間に特別なものが本当にあるのでしょうか。

かつて駐日英国大使を務めたヒュー・コータッツィという友人がいます。彼は日本語で博士論文を書き、ずっとロンドンと東京を行き来して一生を送った、日本に対する理解が非常に深い人物でした。

ヒュー・コータッツィは最も嫌なこととして、こんな述懐をしています。

「ロンドンに帰国してパーティに出席すると、『あなたは日本の専門家ですね。日本人とはどんな人ですか。日本文化とはどのようなものですか』と聞かれます。これが私はとても嫌でした」

そういうとき、ヒュー・コータッツィは次のように答えていたそうです。

「我が国と一緒です。賢い人もいれば、賢くない人もいる。歴史や気候や食べものが違うので、その差が文化となって現われていますが、人間は同じです」

私たちが日本人の特色として信じていることの多くは、戦後の製造業の工場モデル、野口悠紀雄さん流にいえば戦争遂行のための１９４０年体制によってつくられた社会構造が私たちの意識を形成し、「これが日本人である」と錯覚させられているだけのことです。

「迷ったらやる。迷ったら買う。迷ったら行く」

社会の変化するスピードが早くなったのだから、それに追いつくためにも仕事一辺倒の「飯・風呂・寝る」の生活から今すぐ脱却し、勉強しなければならない。勉強するのは子供や学生だけではなく、大人になっても一生学び続けなければいけない。知は力であり、その力は「人・本・旅」で勉強しなければ身に付かない——。

こういう話をすると、年齢が高くなればなるほど「何をいまさら」と思う人がいるかもしれません。しかし、皆さんが一番若いのはいまこの時です。明日になったらまた1日、年を取ってしまいます。どんな年齢の人でもいまこの時が一番若いのですから、思い立ったらすぐ行動することが大切です。

20世紀を代表するファッションデザイナーとして有名なココ・シャネルは孤児院と修道院で育ち、キャリアはお針子からのスタートでした。

彼女は第二次世界大戦の前から、その後しばらくの沈黙はあったものの、1971年に87歳で生涯を終えるまでファッション界の第一線で活躍し続けました。

シャネルは次のような主旨の言葉を残しています。

「私のような大学も出ていない年をとった無知な女でも、まだ道端に咲いている花の名前を一日に一つぐらいは覚えることができる。一つ名前を知れば、世界の謎が一つ解けたことになる。その分だけ人生と世界は単純になっていく。だからこそ、人生は楽しく、生きることは素晴らしい」

ファッション界は若い才能が次々に登場してくる世界です。そこで長期にわたりトップランナーとしての地位を維持できたのは、学ぶことをやめなかったからだと思います。いくつになっても、学ぶことはできるのです。

「もう60歳になったのだから、何をするにももう遅いのでは……」

「今さら勉強を始めるのは面倒だし……」

そんなことを考えていたら結局何もできず、つまらない毎日の繰り返しに陥ってしまうでしょう。明日に先送りしたら1日年を取るのだから、何でも今すぐに早く始めたほうがいいに決まっています。いまこの時のあなたが一番若いのに、なぜいますぐ始めないのか。

僕は「迷ったらやる。迷ったら買う。迷ったら行く」をモットーにしています。

「7〜8割方、これは得だ」と思ったら、みんな迷わず決めたり行動したりできます。その辺の何の特徴もないレストランと三ツ星レストラン、お金に余裕がある場合にどちらに行くかと聞かれたら「三ツ星レストランに行く」と答えると思います。上質のビーフステーキとスーパーのかまぼこ、どちらを食べたいかといえばビーフステーキでしょう。

要するに、メリットとデメリットがはっきりしていたら、人は選択に迷いません。迷うということは、どちらもよいところがあり、悪いところがあるから迷うのです。そういうときにいくら時間をかけて考えても、答えはでてきません。ただ時間が過ぎていくだけです。答えがでないのに迷うのは時間の無駄だから、「迷ったらやる。迷ったら買う。迷ったら行く」ですぐ行動したほうがずっといいのです。

もしかわいいAさんと気立ての良いBさんのどちらとお付き合いするかで迷ったら、まずどちらかと付き合ってみることです。先にAさんと付き合ってみて、うまくいけばそれでよし。うまくいかなかったら「ごめんなさい」と謝ってBさんとお付き合いすればいい。どちらとお付き合いするほうがいいかは実際に付き合わないとわからないのですから、迷ったらまずは付き合ってみるのです。

買い物にしても、迷った末に先送りして翌日お店に行ってみたら「もう売り切れです」といわれるかもしれません。そうなったら二度と自分の手にすることはできないかもしれません。「もう少し足を延ばせば行きたかったあのお寺に行けるけれど、また来る機会もあるだろう」などと先送りすると、やはり二度と訪れる機会が来ないかもしれません。

行動しなければ、世界は一ミリたりとも変わりません。いくつになっても楽しい人生をおくりたかったら、いまの自分が一番若いのだから、いますぐ行動すべきなのです。

左遷されて落ち込む真の原因は不勉強

勉強や行動を始めることに躊躇してしまう裏側には、「失敗したら嫌だ」「この年になってうまくできなかったら恥ずかしい」などといった心理があるのかもしれません。しかし、失敗しなければ経験ができず、賢くなれません。失敗をしたくないから何もしないというのは、実にもったいない話です。

異性と付き合いたいが、どうしたらいいかわからず怖い。いろいろな知識を仕入れ、自分を鍛えてから付き合おうと考えていたら、その間に時間が過ぎていくだけです。毎晩合コンへ行き、魅力を感じた異性に「お付き合いしてください」とアプローチし、振られたり貢がされたり痛い目にあいながらはじめて、うまく異性と付き合えるようになるのです。

試行錯誤を繰り返さないと、何事も上手にできるようにはなれません。

何かを始めることへの躊躇は、失敗して自分が傷ついてしまうことへの怖れもあるのでしょう。

人間はつい喜怒哀楽をプラス・マイナスで考えてしまいがちです。好きな異性に振られたらマイナス100、新しい恋人ができたらプラス100。だから両方合わせてプラマイゼロだ、というように。

しかし人生を楽しくしたいなら、そうではなく、人間の喜怒哀楽は絶対値でとらえるべきです。シェイクスピアの翻訳で知られる小田島雄志さんは「人生の楽しみは、喜怒哀楽の総量である」と日本経済新聞の「私の履歴書」で語っていました。

私たちはうれしいことや楽しいことはたくさんあったほうがよく、つらいことや悲しいことは少ないほうがいいと思いがちです。でもよくよく考えてみれば、そんな人生は味気ないものではないでしょうか。

小田島さんのいう通り、人生には「喜」「楽」はもちろん「怒」「哀」もあったほうがいい。喜んだり怒ったり、哀しんだり楽しんだりがたくさんあるほうが面白いし、人生は豊かになるはずです。だから喜怒哀楽はプラス・マイナスで計算するのではなく、その総量の絶対値でとらえたほうがよいのです。

そもそも、一冊か二冊偉人の伝記を読んでみれば、みんな失敗だらけの人生だったのだということがわかります。何かやってもうまくいかないことが多いのは、世の中の当たり前です。つまり失敗が怖いという人は、勉強や考える力が足りないのです。

「仕事を頑張ったけれど出世できなかった」「実績十分なのに運が悪くて左遷されてしま

った」と嘆いたり落ち込んだりしているビジネスパーソンも、やはり勉強や考える力が足りない人です。

大企業であれば、毎年200人くらいの大卒社員を採用しています。一方、新しい社長が出るのは5年に1回くらいのペースです。そう考えると、社長は1000人の中から1人が選ばれるという確率だとわかります。つまり、その会社で社長になれる確率はわずか0・1%に過ぎません。

一方、社長になれなかった残りの999人は、どこかの段階で全員左遷されることになります。数字でみれば999人の中に入る確率のほうがはるかに高いわけです。それなのに「出世できなかった俺は不運だ」と嘆く必要がどこにあるのでしょうか。

こんな計算は小学生でもできるはずですが、いい年をした大企業勤めのおじさんがそんなこともわからない。それは現実を見る力に乏しく、なぜか「俺だけは出世する」と自己中心的に思い込んでいるからです。

見方を変えれば、ちゃんと現実を見ることができて論理的に考える力があれば、本来はどうでもいいことで落ち込んだり不満を抱えたりせずに済むということです。

自分ではどうにもならないことをくよくよ考え続けるよりも、今夜はどんなおいしいご飯を食べようかとか、明日は誰のところに遊びにいこうかと考えるほうがはるかに楽しい人生をおくれるでしょう。

感情は素直に出してよい、ただし……

自分の感情も、基本的には素直に表出すればいいと思います。腹が立ったら怒ればいいし、あとになって「どうでもいいことで怒ってしまった」と気付いて反省したら、それもまた勉強です。

人がなぜ感情をコントロールしようと気にするかといえば、他人によく思われようと思うからです。でも、パワハラは論外ですが、過度に攻撃的になるなど他人に迷惑をかけるようなことがない限り、感情は素直に出していけばいいと思います。

ビジネスパーソン時代、僕は部下によく「楽勝の上司ですね」といわれました。「なんでだ？」と理由を聞くと、「顔を見れば機嫌が一発でわかります。怒っているときは近づかないようにして、笑っているときに話を持っていくようにすればすぐ通ります。こんな使いやすい楽な上司はいません」と。確かにその通りで、部下は上司を本当によく見ているのだなと思いました。

部下にとって、何を考えているのかさっぱりわからない上司ほど嫌なものはありません。そうした意味でも、感情を表すのは悪いことではないと思います。

ただし、重要な判断をするとき、感情のままに判断するとだいたい失敗してしまうのはこれまでの歴史が教えるところです。だから何か判断をするときは、ひと呼吸置いたほうがいい。頭がカッカしているときはろくな知恵も出てきません。

ひと呼吸置くための先人の知恵はたくさんあります。たとえば、カッとしたときはまずトイレに行き、顔を洗うことにする。そうすると席を外して顔を洗い、戻ってくるまで4～5分はかかるでしょう。その間に感情がカームダウンするというわけです。

歴史上の人物ではローマ帝国の初代皇帝、アウグストゥスは「ゆっくり急げ」ということわざを好み、この言葉を執務室の壁にかけて眺めていたという伝説が残っています。

あるいは唐の第2代皇帝で、中国史上最高の名君の一人とされる太宗の言行録である『貞観政要（じょうがんせいよう）』には、「三つの鏡（三鏡）」という話が出てきます。三つの鏡とは太宗が意思決定の際に大事にしていたもので、具体的には「銅の鏡」と「歴史の鏡」、「人の鏡」です。

銅の鏡で自分を映し、自分の心身の状態をチェックする。将来は予想できないので歴史の鏡で過去の出来事を学ぶ。人の鏡で部下の直言や諫言を受け入れる。人はこれら三つの鏡によってのみ、よりよい意思決定を行えるという話です。だからカッカしやすい人は、怒ったら自分の顔を鏡で見ることを習慣づけるといいかもしれません。

こういう先人の知恵は探してみると実にたくさんあるので、自分に向いたものを取り入ればいいと思います。

年齢の縛りから自由になる

本書をここまで読んできた読者はもうお気付きかもしれませんが、タイトルは『還暦からの底力』ですが、「60歳になったのだからこれをやりなさい」「70歳になったらこれがお勧めです」といった類いの話は一つも述べていません。

人はみな顔が違うように、考え方や嗜好、能力、あるいは置かれた状況や環境も異なります。だから「これが普通だ」ということなどあり得ません。一人ひとり異なる個性がグラデーションを織りなしているのが人間の社会です。

もちろん算数のテストをして「このクラスの平均は60点」といったことはあります。でもそれは単なる統計であって、個人が平均や普通という意味のない言葉に縛られて人生をおくる必要などどこにもないのです。いくつになっても自分の好きなことを、自分の好きなようにやればいいのです。

ところが、なぜか「年をとったらこういうことを楽しむのがいい」と誰かが勝手に決めた通念があって、それに縛られてしまう人たちも見られます。

たとえば、「定年退職したら田舎暮らし」「自然に回帰しよう」というような。あわただしい都会の生活はもう卒業して、自然豊かな地方へ行ってのんびり暮らしましょうと。もちろん自分がそうしたいのなら、海でも山でも自分の気に入った土地へ行って楽しく暮らせばいいと思います。でも、僕は都市で暮らしているほうが面白い。高齢者ホームの最高の立地場所は、例えば新宿・歌舞伎町ではないかと思ったりしています。

定年退職後にそば打ちを習い始めるというのもパターン化している感がありますが、僕はそば打ちにはまったく興味がないし、プロの職人が打ったおいしいそばを食べるほうがずっといいと思っています。

これらはどちらが正しいという性格のものではありません。いいたいのは、必ずしも自分の好みではない誰かが決めたパターンにわざわざ自分からはまりにいく必要はない、人間は一所懸命自分の好きなことをするのが一番幸せだ、ということです。

好きなことをやる、あるいはやれること。人間の幸せはそれに尽きます。「人・本・旅」でいろいろな人に会い、いろいろな本を読み、いろいろなところに出かけて行って刺激を受けたらたくさんの学びが得られ、その分人生は楽しくなります。

誰と会い、何を読み、どこに行くかは皆さん次第。人の感性はさまざまなので、自分が面白いと思う「人・本・旅」に出会い、好きなことにチャレンジしていけばいい。還暦だろうが古希だろうが、年齢など関係ありません。しかもそれは「世界経営計画」のサブシステムを担う行為となり、世界をよりよくしていくことにもつながっていくでしょう。

幸せな社会とはみんながそれぞれ他人に気兼ねなく、自分の好きなことに打ち込める世界です。私たちがつくり、次世代に引き継いでいくのは、そういう社会でなければなりません。

【参考文献・資料】

国立社会保障・人口問題研究所「日本の将来推計人口（平成29年推計）」
http://www.ipss.go.jp/pp-zenkoku/j/zenkoku2017/pp_zenkoku2017.asp
出口治明『「働き方」の教科書』新潮文庫
出口治明『日本の未来を考えよう』クロスメディア・パブリッシング
出口治明『「おいしい人生」を生きるための授業』PHP研究所
COSMOPOLITAN「こんなにいた！養子縁組で子育て中のセレブ21人」
https://www.cosmopolitan.com/jp/entertainment/celebrity/g15934700/celebrities-who-adopted/
財務省「令和2年度予算のポイント」
https://www.mof.go.jp/budget/budger_workflow/budget/fy2020/seifuan2019/01.pdf
出口治明『人生の教養が身につく名言集』三笠書房
出口治明『人生を面白くする　本物の教養』幻冬舎新書

おわりに

人生は楽しくてなんぼです。

楽しい人生をおくるためには行動しなければなりませんが、「人・本・旅」できちんと学んで腹落ちしないと本気の行動はできません。だから勉強や学びは一生続ける必要があり、ココ・シャネルがいう通り、何かを知ることそのものが人生を楽しくしてくれます。

「還暦を超えたらもう仕事はせず、のんびり過ごそう」

そんな人もいるでしょう。各人の好みなのでそれはそれで結構です。ただし、「仕事をせずにのんびり」は寝たきり老人への道です。

人生100年時代を楽しもうと思ったら、健康であることが大前提です。大事なことは平均寿命より健康寿命で、医者は口を揃えて「健康寿命を延ばすには働くことが一番いい」といっています。なぜ働くことが一番いいのか。それは規則的な生活をもたらし、かつ頭と身体を使い続けるからです。

「働かなくても規則正しく運動すればいいだろう」

そんな反論をする人がいるかもしれません。でも人間は怠け者なのですぐサボります。散歩を日課にしていても、大雨の降った日は家にこもってしまうでしょう。誰も運動なんかしません。でも仕事をしていたら大雨でも職場に行き、身体も頭も使うでしょう。仕事は仕組みとしてサボれないのが素晴らしいところです。だから健康寿命が延びるのです。

僕が「定年を廃止せよ」と主張しているのは、何も労働力が不足しているからではありません。楽しく100年の人生を過ごすために必要不可欠な、健康寿命を延ばしたいからです。健康であってはじめて、好きなことに好きなように取り組めるのです。

メディアで取り上げられる高齢化社会の将来は、とても暗い話ばかりです。まるで高齢者になったら楽しくない生活が待っているとでもいわんばかりに。でも、そんなことはありません。いくつになっても自分次第で人生は楽しく過ごせるのです。

メディアで取り上げられる高齢化社会の話題が暗くなる理由は単純で、ヤング・サポーティング・オールドという敬老思想に毒されているからです。つまり「若者が高齢者を支える」という、高度成長期に人口がどんどん増えた特殊な時代の理念や方法がいつまでも続くと考えていたら、若者が減って高齢者が増えれば社会構造的に続かなくなってしまうので、もうお先真っ暗と考えてしまうのです。

しかし、先進的な国ではもう年齢フリー社会、オール・サポーティング・オールの世界に入っています。年齢に関係なくみんなが能力と意欲、体力に応じて働く。そしてシングルマザーなど本当に困っている人に給付を集中する。すなわち、年齢で優遇するのをやめ、困っているかどうかで優遇する人を決める。

オール・サポーティング・オールの世界では高齢者が増える・増えないは関係ありません。だから高齢化社会の将来は暗いということもなくなります。つまり、高齢化社会の将来は暗いという考えは、ヤング・サポーティング・オールドという高度成長期かつ人口ボーナス期という特殊な時代の仕組みを前提に考えていることに全ての原因があります。

敬老思想から脱却し、きちんと数字・ファクト・ロジックで考えていけば、高齢化社会の将来は暗くはないし、人はいくつになっても楽しい人生を過ごすことができます。

還暦後でも社会的に大きな活躍をしたり、好きなことを追求して卓越した成果を残した人がたくさんいる事実は、本書でここまでに述べた通りです。望むなら仕事や勉強だけではなく、恋愛だってガンガンすればいい。読者の皆さんにはそれぞれのやり方で、「還暦からの底力」を発揮していただきたいと思います。

2020年3月

APU学長　出口治明

写真提供／アフロ（法顕の旅程、イザベラ・バード、阿部正弘）
共同通信社（マクロン大統領、アズハル大学、ロンドン海軍軍縮会議関連資料、レヴィ＝ストロース）
立命館アジア太平洋大学（バングラデシュの革製品、ハラール認証取得醤油）
講談社資料センター（マハティール、岩倉使節団、リットン調査団関連資料）

講談社現代新書　2568
還暦からの底力——歴史・人・旅に学ぶ生き方
二〇二〇年五月二〇日第一刷発行　二〇二〇年六月九日第五刷発行

著　者　出口治明
© Haruaki Deguchi 2020
発行者　渡瀬昌彦
発行所　株式会社講談社
東京都文京区音羽二丁目一二—二一　郵便番号一一二—八〇〇一
電　話　〇三—五三九五—三五二一　編集（現代新書）
〇三—五三九五—四四一五　販売
〇三—五三九五—三六一五　業務
装幀者　中島英樹
印刷所　株式会社新藤慶昌堂
製本所　株式会社国宝社
定価はカバーに表示してあります　Printed in Japan

本書のコピー、スキャン、デジタル化等の無断複製は著作権法上での例外を除き禁じられています。本書を代行業者等の第三者に依頼してスキャンやデジタル化することは、たとえ個人や家庭内の利用でも著作権法違反です。Ⓡ〈日本複製権センター委託出版物〉

複写を希望される場合は、日本複製権センター（電話〇三—六八〇九—一二八一）にご連絡ください。

落丁本・乱丁本は購入書店名を明記のうえ、小社業務あてにお送りください。

送料小社負担にてお取り替えいたします。

なお、この本についてのお問い合わせは、「現代新書」あてにお願いいたします。

N.D.C. 914　248p　18cm
ISBN978-4-06-514987-4

「講談社現代新書」の刊行にあたって

教養は万人が身をもって養い創造すべきものであって、一部の専門家の占有物として、ただ一方的に人々の手もとに配布され伝達されうるものではありません。

しかし、不幸にしてわが国の現状では、教養の重要な養いとなるべき書物は、ほとんど講壇からの天下りや単なる解説に終始し、知識技術を真剣に希求する青少年・学生・一般民衆の根本的な疑問や興味は、けっして十分に答えられ、解きほぐされ、手引きされることがありません。万人の内奥から発した真正の教養への芽ばえが、こうして放置され、むなしく滅びさる運命にゆだねられているのです。

このことは、中・高校だけで教育をおわる人々の成長をはばんでいるだけでなく、大学に進んだり、インテリと目されたりする人々の精神力の健康さえもむしばみ、わが国の文化の実質をまことに脆弱なものにしています。単なる博識以上の根強い思索力・判断力、および確かな技術にささえられた教養を必要とする日本の将来にとって、これは真剣に憂慮されなければならない事態であるといわなければなりません。

わたしたちの「講談社現代新書」は、この事態の克服を意図して計画されたものです。これによってわたしたちは、講壇からの天下りでもなく、単なる解説書でもない、もっぱら万人の魂に生ずる初発的かつ根本的な問題をとらえ、掘り起こし、手引きし、しかも最新の知識への展望を万人に確立させる書物を、新しく世の中に送り出したいと念願しています。

わたしたちは、創業以来民衆を対象とする啓蒙の仕事に専心してきた講談社にとって、これこそもっともふさわしい課題であり、伝統ある出版社としての義務でもあると考えているのです。

一九六四年四月　野間省一

哲学・思想Ⅰ

Ⓐ

政治・社会

経済・ビジネス

350 経済学はむずかしくない〈第2版〉——都留重人
1596 失敗を生かす仕事術 畑村洋太郎
1624 企業を高めるブランド戦略——田中洋
1641 ゼロからわかる経済の基本——野口旭
1656 コーチングの技術——菅原裕子
1926 不機嫌な職場——高橋克徳 河合太介 永田稔 渡部幹
1992 経済成長という病——平川克美
1997 日本の雇用——大久保幸夫
2010 日本銀行は信用できるか 岩田規久男
2016 職場は感情で変わる 高橋克徳
2036 決算書はここだけ読め！——前川修満
2064 決算書はここだけ読め！キャッシュ・フロー計算書編 前川修満

2125 ビジネスマンのための「行動観察」入門 松波晴人
2148 経済成長神話の終わり アンドリュー・J・サター 中村起子 訳
2171 経済学の犯罪——佐伯啓思
2178 経済学の思考法——小島寛之
2218 会社を変える分析の力 河本薫
2229 ビジネスをつくる仕事 小林敬幸
2235 20代のための「キャリア」と「仕事」入門——塩野誠
2236 部長の資格——米田巖
2240 会社を変える会議の力 杉野幹人
2242 孤独な日銀——白川浩道
2261 変わった世界 変わらない日本——野口悠紀雄
2267 「失敗」の経済政策史 川北隆雄
2300 世界に冠たる中小企業 黒崎誠

2303 「タレント」の時代——酒井崇男
2307 AIの衝撃——小林雅一
2324 〈税金逃れ〉の衝撃 深見浩一郎
2334 介護ビジネスの罠——長岡美代
2350 仕事の技法——田坂広志
2362 トヨタの強さの秘密 酒井崇男
2371 捨てられる銀行——橋本卓典
2412 楽しく学べる「知財」入門——稲穂健市
2416 日本経済入門——野口悠紀雄
2422 捨てられる銀行2 非産運用——橋本卓典
2423 勇敢な日本経済論——髙橋洋一 ぐっちーさん
2425 真説・企業論——中野剛志
2426 東芝解体 電機メーカーが消える日 大西康之

知的生活のヒント

M

趣味・芸術・スポーツ

日本語・日本文化

105 タテ社会の人間関係 中根千枝
293 日本人の意識構造——会田雄次
444 出雲神話——松前健
1193 漢字の字源——阿辻哲次
1200 外国語としての日本語——佐々木瑞枝
1239 武士道とエロス——氏家幹人
1262 「世間」とは何か——阿部謹也
1432 江戸の性風俗——氏家幹人
1448 日本人のしつけは衰退したか——広田照幸
1738 大人のための文章教室 清水義範
1943 なぜ日本人は学ばなくなったのか——齋藤孝
1960 女装と日本人——三橋順子
2006 「空気」と「世間」——鴻上尚史
2013 日本語という外国語 荒川洋平
2067 日本料理の贅沢——神田裕行
2092 新書 沖縄読本——下川裕治 仲村清司 著・編
2127 ラーメンと愛国——速水健朗
2173 日本人のための日本語文法入門——原沢伊都夫
2200 漢字雑談——高島俊男
2233 ユーミンの罪——酒井順子
2304 アイヌ学入門——瀬川拓郎
2309 クール・ジャパン!? 鴻上尚史
2391 げんきな日本論——橋爪大三郎 大澤真幸
2419 京都のおねだん——大野裕之
2440 山本七平の思想——東谷暁